HISTÓRIAS DE BOCA

O CONTO TRADICIONAL NA EDUCAÇÃO INFANTIL

CRISTIANE VELASCO

HISTÓRIAS DE BOCA

O CONTO TRADICIONAL
NA EDUCAÇÃO
INFANTIL

2ª impressão

© Cristiane Velasco

Diretor editorial
Marcelo Duarte

Diretora comercial
Patth Pachas

Diretora de projetos especiais
Tatiana Fulas

Coordenadora editorial
Vanessa Sayuri Sawada

Assistente editorial
Olívia Tavares

Conselho editorial
Josca Ailine Baroukh
Marcello Araujo
Shirley Souza

Projeto gráfico
A+ Comunicação

Diagramação
Vanessa Sayuri Sawada
Carla Almeida Freire

Preparação
Beatriz de Freitas Moreira

Impressão
Cromosete

CIP – BRASIL. CATALOGAÇÃO NA PUBLICAÇÃO
SINDICATO NACIONAL DOS EDITORES DE LIVROS, RJ

Velasco, Cristiane
Histórias de boca: O conto tradicional na educação infantil / Cristiane Velasco. – 1. ed. – São Paulo: Panda Books, 2018. 248 pp.

ISBN: 978-85-7888-676-9

1. Educação de crianças. 2. Educadores – Formação. I. Título.

17-44173 CDD: 370.1
          CDU: 37.01

2018
Todos os direitos reservados à Panda Educação
Um selo da Editora Original Ltda.
Rua Henrique Schaumann, 286, cj. 41
05413-010 – São Paulo – SP
Tel./Fax: (11) 3088-8444
edoriginal@pandabooks.com.br
www.pandabooks.com.br
Visite nosso Facebook, Instagram e Twitter.

Nenhuma parte desta publicação poderá ser reproduzida ou compartilhada por qualquer meio ou forma sem a prévia autorização da Editora Original Ltda. A violação dos direitos autorais é crime estabelecido na Lei nº 9.610/98 e punido pelo artigo 184 do Código Penal.

*Para Fê e Dora, meus corações
com riacho dentro...*

Agradecimentos

Agradeço às crianças que habitaram cada uma das histórias contadas. Agradeço, em ordem de aparecimento em minha formação, a todos aqueles que me despertaram "calafrios-quentinhos" e me auxiliaram a rendar o meu caminho: aos mestres do flamenco, pelo estremecimento do mistério de *El duende*; à Silvana Duarte, pelo respeito à prática de odissi, transportando com clareza o significado das *abhinayas*; aos professores de joalheria que me reaproximaram dos adornos em sua primeira condição de talismãs; ao artista plástico L. P. Baravelli, pela memória da Fábula; à Regina Machado, por me iniciar na arte de contar histórias através de todos os seus fundamentos teórico-poéticos e da experiência na Cia Palavra Viva: Contadores de Histórias; à Stela Barbieri, Kika Antunes, Dan Yashinsky, Andrzej, Inno Sorsy, Gilka Girardello, Kaká Werá Jecupé e Daniel Munduruku, contadores de histórias que tanto enriqueceram a minha história; à Peo e a toda equipe da Casa Redonda Centro de Estudos, jardim da infância que me formou educadora; à Lydia Hortélio, pela profunda beleza de tantas cantigas, por me tornar "cantadeira" de histórias desde o *Abra a roda tin dô lê lê*; ao Adelsin, pelos mil ecos de um *Barangandão*; à Elizabeth Menezes, Vera de Athayde e Moxé Ribeiro, por me introduzirem nas danças e músicas brasileiras; à Rosane Almeida, Antonio Nóbrega e aos diversos mestres da cultura popular que muito me ensinaram no Instituto Brincante; ao professor Paulo Machado, por todas as reflexões que me auxiliaram a fundamentar a prática com as crianças; ao doutor Amadeu Amaral, pelas conversas carregadas de lampejos fosforescentes; ao Ricardo Vieira, pelo encontro que desaguou em um *Aguadouro* de descobertas; à Monica Jurado e ao grupo Meditação com Tambores, pelas histórias assistidas na tela atrás dos meus olhos; à equipe da Escola Ciranda, pela preciosa parceria. À Jô Baroukh e Shirley Souza, por tudo o que aprendi a partir das cuidadosas revisões destas histórias de boca.

Finalmente agradeço o apoio dos familiares e amigos que acompanharam este livro desde quando ele ainda não era, mas já guardava um vir a ser: Cris Branco, Ucha, Flavia Lewinsky, Thais Roji, Marilia Esau, Marcellina, Irineu, Giuliana, Patrícia, Guilherme, Suzana e Garcia. E à memória daquelas que hoje vivem em outros reinados: Titita, pelo amor aos livros; Elizabeth, pela proteção de todas as fadas; e Yolanda, pela redenção de todas as bruxas.

Sumário

11 Apresentação: na boca de um peixe voador

15 **Na boca do coração: o conto tradicional, um saber de cor**
17 Um bocado de tempo: o conto tradicional
26 Na boca das fadas: o conto maravilhoso
38 De boca em boca: as variantes do conto
57 O contador de histórias de boca

71 **De boca aberta: a oralidade na cultura da criança e na cultura popular**
73 Boca de criança: a palavra brincante
93 Histórias de boca e histórias de livro: diferenças entre contar e ler
105 Histórias brincadas: quando o conto desemboca em faz de conta
121 Com o coração na boca: enfrentando o medo através dos contos e histórias brincadas
142 Na boca da barriga: morte e vida nas histórias brincadas
156 Tela na boca: a criança de hoje

163 **Eu tava lá: na boca do educador contador**
165 Aprendendo a contar histórias de boca
173 Era uma vez: na embocadura da sala de aula
181 Boca de cena: preparação do espaço e elementos cênicos
191 Na boca da história: exercícios de aproximação do conto
226 Com água na boca: selecionando o repertório de contos

236 **Epílogo**

240 **Referências bibliográficas**

Apresentação
Na boca de um peixe voador

Nasci em 1972. Quando eu era menina, tinha dois sonhos recorrentes: em um deles eu aparecia voando, no outro, eu respirava dentro d'água. Cresci buscando experiências que me devolvessem a sensação primeira dos sonhos da minha infância e acabei colecionando retalhos: 15 anos dedicados ao trabalho como dançarina de flamenco, sete anos praticando o estilo odissi de dança clássica indiana, faculdade de letras e artes plásticas, um ateliê de joalheria de autor e muitas dúvidas.

Minha história se contava por meio de cacos, como um espelho estilhaçado. Somente em 1998, quando fui iniciada na arte de contar histórias, no trabalho com educação infantil e no universo da cultura popular brasileira, vislumbrei a renda do lado de lá dos retalhos: um espelho mágico me recordando que cada estilhaço refletia a mesma imagem inteira! Aos poucos, nas andanças em busca de um caminho, percebi que a saída estava justamente na encruzilhada, e minha experiência foi gradualmente se entendendo como uma experiência de rendar experiências.

Desde então contar histórias tornou-se o meu "através". Através dessa arte rendeira venho me costurando por dentro: reinventando, escrevendo, dançando, cantando, compondo elementos cênicos, aprendendo e ensinando. As histórias são meus peixes voadores!

Nessa jornada de voos e mergulhos, encontrei educadores de realidades diversas em busca de maior conhecimento da arte de contar histórias. Costumo anotar as perguntas mais frequentes nas formações que coordeno, por exemplo: Existe técnica para contar histórias? Qual a importância dessa atividade? Qualquer um pode aprender? É preciso ser ator para contar bem? Qual a diferença entre teatro e contação? É melhor contar usando objetos? Como prender a atenção das crianças? É preciso decorar para contar? Qual a diferença entre ler e contar sem livro? Como se ensaia o teatro de uma história com crianças pequenas? O que fazer quando um aluno sente medo durante o conto? Por que gostam tanto de histórias de medo? É melhor retirar as partes muito violentas dos contos para não assustar os pequenos? Afinal, o que é um conto tradicional? Como escolher uma história para contar? Onde buscá-las?

A partir dessas e de muitas outras perguntas este livro se estruturou no intuito de compartilhar relatos e reflexões. É interessante notar que em minha trajetória como educadora e contadora de histórias a teoria não costuma preceder a prática, o trabalho vai sendo criado e recriado a partir da constelação de crianças e educadores presentes. É a observação dessas histórias vividas e registradas em meu "diário de bordo" que me permite trocar impressões com outros profissionais, buscando ampliações e aprofundamentos, pesquisando e encontrando fundamentação significativa.

A primeira parte dessas *Histórias de boca* está debruçada sobre a matéria-prima do livro, o conto tradicional, abordando de forma concisa suas origens, características e variantes. E também discorre sobre a figura do contador de histórias: o contador tradicional, o contador profissional e o educador contador.

A segunda parte aproxima a cultura da criança e a cultura popular, pilares fundamentais da educação infantil, compreendendo o brincar como a linguagem integrada de conhecimento na primeira infância. Insere a arte de contar e ouvir histórias nessa linguagem, abrangendo as histórias brincadas pelas crianças a partir dos contos.

A terceira parte, sob a perspectiva de uma educação da sensibilidade que se inicia na formação do educador, apresenta sugestões práticas para a arte de contar histórias em sala de aula, trata da escolha de repertório e propõe exercícios de diálogo com os contos.

"Histórias de boca" no dizer das crianças, "histórias de boca" na fala popular, e agora o registro dos relatos e reflexões há tanto tempo contados e recontados.

Espero que os leitores voem alto e mergulhem fundo nessas *Histórias de boca*. Que um peixe voador possa inspirá-los em direção ao coração "barconinho", buscando por jardins de infância cada vez mais rendados de contos.

Cristiane Velasco

Na boca do coração

O conto tradicional, um saber de cor

Certa noite eu sonhei com uma cigana. Ela não tinha um dos dentes da frente. Chegou bem perto de mim e pela fresta da boca ela me sussurrou:

– Concentre-se no coração. Reúna todos os fios que estiverem espalhados fora, à sua volta. Enrole esses fios em um novelo e entre. Mergulhe fundo e longe. Um fogo estará ardendo lá, na profunda quietude do coração. Escute a voz do fogo!

E eu fiquei escutando, por alguns instantes, enquanto a cigana se afastava... Quando abri os olhos, percebi que já não lhe faltava um dente. Ela sorriu de longe, com a boca completa, e desapareceu.

Cristiane Velasco

UM BOCADO DE TEMPO
O conto tradicional

*Tenho certeza de que no berço a minha
primeira vontade foi a de pertencer.*

Clarice Lispector

    Era uma vez, há muito tempo atrás, em um reino distante... Assim se abre o portal para um espaço diferente daquele do dia a dia, onde tudo é possível. Assim se anuncia a existência de um tempo *além* do tempo, que se encontra nos contos, nas lendas, nos mitos. Atravessando as cortinas do "Era uma vez", encontramos um universo onde a realidade se transforma num piscar de olhos. Assim como nos sonhos...
    Certa vez, Maria Eduarda, aos quatro anos, ouvindo uma história, chamou a educadora que narrava o conto: "Acorda! Acorda! Você tá dentro do sonho! Vem pra cá!". As crianças pequenas transitam naturalmente entre o lado de cá e o lado de lá dos véus e, dessa forma, estão sempre nos confirmando esse lugar que atingimos quando cruzamos as rendas diáfanas de uma história. A maneira como indagam e traduzem o mundo – via metáforas, símbolos e imagens – é muito próxi-

ma das narrativas míticas, por meio das quais os mais variados povos buscavam explicar a origem das coisas.

Para os índios keres do Novo México, nos Estados Unidos, a deusa Tse Che Nako é a Mulher Pensamento, aquela que tece o mundo com o poder de seus sonhos criativos. Eles vibram como ondas e fios de um som contínuo e belo que essa tecelã transforma em criações.

A mitologia dos aborígines australianos também gira em torno de um Tempo do Sonho. No princípio, todos dormiam e sonhavam embaixo da terra, que era escura e vazia. Um dia, os grandes ancestrais despertaram de sua eternidade e viajaram por todo o território, criando os seres. Depois retornaram ao Tempo do Sonho, onde continuam sustentando as criaturas sonhadas. Toda pessoa existe, em essência, nesse campo sonhado. A parte eterna de cada um se inicia na vida através do corpo da mãe e, após a morte, retorna para o Tempo do Sonho. Esse tempo não é apenas um período passado, ele está sempre presente, toda vez que o povo nativo canta suas músicas, movimenta suas danças e conta suas histórias.

Um mito brasileiro de origem tupi-guarani conta que a Mãe Terra nasceu de um sonho, e sonhando-se, ela se transformou em uma imensa tartaruga estelar, em cujo casco a Grande Voz Tupã, o Som Trovão, foi desenhando todas as entidades terrestres. O primeiro ser humano nasceu assim também, de um sonho, e guarda na memória do coração o mesmo pulsar das estrelas...

Costumamos desmerecer os sonhos e as histórias quando falamos, por exemplo: "Você só pode estar sonhando!", "Isso não passa de um mito!", "São histórias para boi dormir!", "Pura invenção, ilusão!", "A vida não é esse conto de fadas!", "Não acredite no que diz aquele homem, só vive contando histórias!", "Ele não existe, já virou lenda!".

Se, por um lado, expressões como essas comumente enquadram as histórias no âmbito da mentira, das impossibilidades e do exagero fantasioso, por outro, a milenar arte de narrar, que nasceu com o homem e persiste em nossos dias, revela a importância das narrativas tradicionais e a aprendizagem ímpar que vivemos pela via da fantasia.

As narrativas de tradição oral remontam a tempos imemoriais e vêm sendo transmitidas de boca em boca, ao longo dos séculos. Estão presentes nas mais diversas culturas, sendo um importante elo entre os homens, pois tratam de aspectos fundamentais do humano: a capacidade de criar, transformar, imaginar e sonhar.

De certo ponto de vista adulto, essas histórias são bem mais fantásticas do que verdadeiras, e muitos ainda temem contá-las às crianças, preocupados em não "mentir" para elas, evitando fazê-las acreditar em mágica. Não percebem que toda criança pequena acredita em mágica por natureza, e que a verdade verdadeira das histórias é justamente a verdade de nossa imaginação.

A fantasia é um recurso mágico natural a partir do qual a criança vai organizando seus sentimentos, compreendendo o mundo e construindo sua própria história. A imaginação é a faculdade essencial para o desenvolvimento do indivíduo, e é ao longo da educação infantil que ela precisa ser nutrida com o leite primordial das narrativas tradicionais. Quanto mais o espírito humano viajar através dos mitos, das lendas e dos contos, mais livre, confiante e criativo será.

PALAVRA DE CRIANÇA

Perguntaram a Pedro Luís, de cinco anos, o que era o mistério. "O mistério é Deus", disse ele. E o que é Deus? Prontamente o menino respondeu: "Deus e a morte são um só. O sonho também. Deus é como um vento, a gente sente, mas não consegue pegar...".
João, aos quatro anos, disse: "A galáxia é infinitos mais infinitos, que é igual a dobros de infinitos!". E Julia, aos três anos e meio, contou espontaneamente: "Sabe, minha mãe engoliu a sementinha que era eu, e a barriga dela começou a crescer. Aí ela me cuspiu de novo igualzinho a um bebê! Amanhã eu ficava sonhando dentro da barriga dela!".
Essas histórias de crianças não são muito diferentes de antigas narrativas tradicionais, mitos que contam como o mundo foi inicialmente sonhado antes de ter existido. Sonhado ontem, sonhado amanhã: sonhado eternamente agora. ∎

Pode parecer impossível acreditar em formigas falantes, peixes transformados em homens, ou em um urubu feiticeiro que aprisionou os astros para enredar de luzes o seu pescoço. O que dizer a respeito de mantos de invisibilidade, botas de sete léguas, lágrimas capazes de curar olhos cegos ou frutos que envelhecem com apenas uma mordida? Ou então bichos-papões despencando de um velho sótão, sacis dando nó em crina de cavalo, e ainda uma menina enterrada viva, cantando para que não lhe cortem os cabelos de capim? Simples de contar, mas difícil de entender que sementes se transformaram em crianças quando sacudidas na cabaça do primeiro chocalho do mundo! Tampouco conceber um espelho que enxerga qualquer coisa escondida entre o céu e a terra, uma princesa atravessando cem anos em sono profundo, e muito menos um pássaro que se torna príncipe depois de tomar banho de bacia!

Por meio de uma linguagem simbólica, as histórias nos falam, com simplicidade e extrema riqueza de imagens, sobre as dimensões internas que aproximam todos os seres humanos. Elas tangem *outra* realidade, não menos verdadeira. Entram por outras vias que não as lógicas racionais e nos tocam pela empatia do reconhecimento, pela recordação de quem somos e de quem podemos vir a ser.

A palavra "recordar" vem do latim *cor* ou *cordis*, que significa coração. Recordar é trazer de novo ao coração, à sede da alma. As histórias nos acalentam com uma sensação de pertencimento e assim nos permitem sonhar caminhos possíveis para nossas vidas.

Luís da Câmara Cascudo (1971, p. 9), grande historiador, folclorista e pesquisador da cultura popular brasileira, em seu livro *Tradição, ciência do povo*, define que "a memória é a imaginação do povo, mantida e comunicável pela tradição". Não seria, então, a memória um eterno sonho coletivo, um grande sonho recordado?

Assim como a capacidade de sonhar, a experiência de contar e ouvir histórias é essencial à espécie humana. O homem pré-histórico já contava sobre suas batalhas, amores e aventuras nas pinturas rupestres, preciosas narrativas imagéticas. Desde as épocas mais remotas, quando a oralidade ainda não tinha registro escrito, histórias têm sido compartilhadas como uma maneira de compreender o mundo e trocar relatos significativos, um meio de educação e preservação do conhecimento.

A literatura oral, com seu vasto imaginário, pode ser entendida como a grande textualidade tradicional, uma espécie de fundo rendado comum a cada cultura, composto de matérias diversas que se articulam e se agrupam de acordo com estruturas próprias. Ela abarca mitos, lendas, contos, cantigas, brincadeiras, entre tantos outros textos – cada um com sua forma própria. São essas formas que determinam que um conto seja reconhecido como conto, uma brincadeira como brincadeira, uma cantiga como cantiga, embora todos pertençam ao mesmo manancial de rendas, entrelaçadas pelo fio da oralidade.

Dentre as diversas narrativas de tradição oral, destacamos o conto tradicional ou popular, que chamaremos daqui em diante de conto e sobre o qual se debruça este livro. Os contos tradicionais pertencem ao fundo rendado do domínio público. São trançados e manuseados por narradores e por escritores, recriadores dos contos populares que se apropriam da substância tradicional. Dessa forma, os textos de tradição oral alimentam a escrita e também se apoiam nela para sua conservação.

Câmara Cascudo (2001, p. 13) aponta como características do gênero "a antiguidade, o anonimato, a divulgação e a persistência". O conto é antigo na memória do povo. Sua autoria é anônima, ou seja, não se sabe quem foi o autor da história, por isso ela é considerada uma criação coletiva – é de todos aqueles que a transmitem e recriam, imprimindo nela toques pessoais e uma identidade cultural. O conto é "divulgado em seu conhecimento e persistente nos repertórios orais" (ibidem). Sua linguagem revela marcas da oralidade, trazendo palavras e expressões do registro popular.

A professora, pesquisadora e crítica literária brasileira Nelly Novaes Coelho (2008, p. 36) aponta que é possível identificar nas raízes dos contos populares "uma grande fonte narrativa, de expansão popular: a fonte oriental (procedente da Índia, séculos antes de Cristo), que vai se fundir, através dos séculos, com a fonte latina (greco-romana) e com a fonte céltico-bretã (na qual nasceram as fadas)". Levadas e recontadas por menestréis, viajantes e mercadores, essas histórias "foram se misturando umas às outras e criando as diferentes formas narrativas 'nacionais', que hoje constituem a Literatura Infantil Clássica e o folclore de cada nação" (ibidem, p. 37).

Viajando através dos tempos, armazenadas na memória das inúmeras tradições, essas narrativas abrigam um íntimo universal em que cada um pode se reconhecer à sua maneira – são metáforas da vida, pois trazem registros de sabedoria profunda, aspectos substanciais da jornada humana. A sequência narrativa ou "esqueleto" de um conto pode ganhar roupagens pessoais – detalhes do contador de histórias que, ao contar um conto, aumenta um ponto – e roupagens culturais, que atribuem à história características próprias ao seu lugar.

Os contos tradicionais envolvem infinitas combinações de temas recorrentes, isto é, motivos fundamentais que se misturam ilimitadamente, articulando-se no fio da narrativa, assim como retalhos combinados e recombinados na costura da colcha de cada história. O que determina a existência de um assunto em dada tradição é justamente sua relação com o contexto: se o motivo faz sentido para o povo, ele será atualizado, adaptado à tradição local; caso contrário, será abandonado.

Uma história contada em determinada época, em certo lugar, pode ter "parentes" remotos, ou seja, histórias semelhantes, contadas em épocas e lugares completamente diferentes. É isso que nos faz reconhecer um "mesmo" conto na

Noruega e no Rio Grande do Norte, na Espanha e no interior de São Paulo, na Índia e no sertão da Bahia.

Esses contos apontam constantes básicas, representam formas primárias da experiência humana. Podem fazer rir, chorar, arrepiar; podem aquietar, consolar, cicatrizar, curar. Através delas vivemos internamente as aventuras de aprendizagem gravadas no coração dos povos: seus saberes *de cor* (de coração). Contos de heróis masculinos e femininos, contos de animais, contos maravilhosos e outros mais próximos da vida comum, podem estar presentes em qualquer canto do mundo, com características próprias, mas irão sempre mobilizar o universo interno de quem os escuta, promovendo identificações, confrontos e transformações.

Em todas as tradições, o herói ou heroína de um conto passa por conflitos, sente medo, tristeza, busca a felicidade, sonha com o amor ou com uma vida mais próspera, ultrapassa obstáculos, realiza conquistas. Ele pode ser motivado por alguma carência ou atrito, pela ameaça de um opositor, por uma dificuldade, um desafio, uma meta, um ideal, ou pela simples necessidade interna de expansão. Mas é a busca de um desígnio e de uma forma para realizá-lo, o que movimenta o herói durante a aventura. O que rege seu caminho é a capacidade de seguir o próprio coração, como escreveu o célebre mitólogo Joseph Campbell (2007).

Os contos pertencem à realidade muitas vezes dita "sem pé nem cabeça", a esse tempo sem tempo, indeterminado, não cronológico: interno. *Certa vez, há muito tempo atrás, quando ainda não havia a contagem do tempo...* Um tempo que eternamente se atualiza, no instante em que uma história é contada.

O espaço do conto tradicional também é indefinido: ele se passa em reinos distantes, aldeias remotas, mares longínquos, florestas desconhecidas, paisagens que se encontram em outros tempos e ao mesmo tempo no *agora*, no território mais profundo de cada um de nós.

Reis, rainhas, príncipes, princesas, ricos e pobres, velhos e velhas, anões e gigantes, fadas e bruxas, dragões e outras inumeráveis figuras são personagens do imaginário coletivo que conversam intimamente com os personagens que nos habitam e fazem parte desse tempo suspenso, desse espaço mágico, encantado e fascinante que transcende nossa racionalidade.

Quando uma história chega ao fim, dá-se o desenlace, abre-se a porta de saída: o herói encontra seu desígnio. De mãos dadas com nosso herói, retornamos transformados para o lado de cá, alguns instantes mais "velhos" do que no início do conto. Acordamos da jornada com a sensação de termos sonhado acordados nossa própria vida.

NA BOCA DAS FADAS
O conto maravilhoso

Se você quiser que seus filhos sejam brilhantes, conte--lhes contos de fadas. Se quiser que sejam ainda mais brilhantes, conte-lhes ainda mais contos de fadas.

Atribuído a Albert Einstein

É inegável o genuíno interesse das crianças pelos contos de fadas. Elas não se cansam de ouvi-los, pedindo *de novo* a mesma narrativa que se encerra indiscutivelmente com a grande celebração: "E viveram felizes para sempre...".

De acordo com Câmara Cascudo (2006), quando o conto tradicional ou popular ocorre no contexto do maravilhoso, do miraculoso e até do sobrenatural, ele pode ser classificado como conto de encantamento. Contos de encantamento correspondem às histórias da carochinha, aos contos de fadas.

Em Portugal, a palavra "carochinha" quer dizer "baratinha" e é um personagem de histórias infantis. Lá, o conto tradicional brasileiro "Dona Baratinha" é conhecido como "Conto da carochinha", e por ser uma história bastante popular, o termo acabou abarcando o conjunto de contos de encantamento. No Brasil, "Dona Carochinha" passou a representar também a figura folclórica da velha contadora de histórias, que pode ser relacionada à Mother Goose (Mamãe Gansa), idosa camponesa presente na cultura popular dos países de língua inglesa. O escritor brasileiro Monteiro Lobato (1973), em *Reinações de Narizinho*, retrata Dona Carochinha como uma velha barata de mantilha, sempre mal-humorada com os personagens de suas histórias que teimam em fugir dos livros – ela é praticamente uma bruxinha.

E as fadas? A palavra "fada" vem do latim *fatum*, que significa fado, destino. Segundo antigas tradições celtas, as fadas assistiam ao nascimento de uma criança, outorgando-lhe dons e qualidades em voz alta, assumindo o papel de oráculos e prevendo seu destino. Eram druidesas, sacerdotisas, magas detentoras, ao mesmo tempo, das forças do bem e do mal.

As fadas podem também ser relacionadas às Moiras da mitologia grega – as três irmãs fiandeiras responsáveis por fabricar, tecer e cortar o fio da vida dos homens. Elas utilizavam uma roca de fiar especial, também conhecida como Roda da Fortuna, determinando a vida pelo fio que ora passava na parte de cima da roca, simbolizando sorte, ora na parte de baixo, predizendo momentos de infortúnio. Na mitologia romana, as Moiras eram chamadas de Parcas, palavra que vem de "parir", "dar à luz". É interessante notar que, de acordo com um costume popular europeu, muitas mulheres fiandeiras "davam à luz" infinitas histórias enquanto fiavam com fuso e roca, tecendo com palavras a aventura humana.

INSTANTE DO CONTO: AS TRÊS VELHAS

Neste conto popular brasileiro, recolhido por Câmara Cascudo (2001), com variantes esparramadas pelo mundo todo, as fiandeiras encontram uma moça na Missa das Almas e prometem ajudá-

> -la a fiar uma quantidade imensa de linho para, assim, ela se casar com um rico comerciante. Mas a moça teria que convidá-las ao casamento e chamar cada velha de "tia" por três vezes, em voz alta. Ela recebe a ajuda e cumpre o combinado. Nessa história carregada de humor, uma das velhas era corcunda de tanto fiar, a outra tinha a boca torta de tanto riçar os fios, e a terceira havia ficado com os dedos finos e compridos como patas de aranha de tanto puxar o linho. Vendo aquelas "tias", mais feias que o pecado, o marido, assustado, dispensa a esposa do encargo de fiar, queimando fusos, rocas e linho. As "madrinhas" desaparecem como que por encanto, e a moça, satisfeita, vive feliz para sempre. ∎

Nos contos de encantamento, as fadas surgem como mediadoras mágicas entre o herói e seus sonhos ou ideais, ajudando na realização de seu desígnio com talismãs, varinhas mágicas, conselhos de madrinhas. Mas também podem se apresentar como opositoras, no caso das fadas más ou bruxas feiticeiras, atrapalhando ou desviando o curso de seu caminho.

Apesar de serem conhecidos como contos de fadas e histórias da carochinha, os contos de encantamento não necessariamente apresentam fadas ou carochas, mas jamais prescindem da dimensão do maravilhoso. Nas palavras de Cirilo, contador de histórias do Cariri cearense (apud LIMA, 2005), a prevalência do elemento maravilhoso é uma marca característica das histórias "que são do tempo de rei, do tempo do império, aqueles tempos lá atrás [...] A legítima é essa. Coisa passada, coisa encantada, coisa invisível" – histórias que ainda hoje no Nordeste são chamadas de "histórias de Trancoso", nome que tem origem numa antiga antologia de contos populares que Gonçalo Fernandes Trancoso compilou em Portugal, no século XVI.

John Ronald Reuel Tolkien (2013), consagrado escritor de *O senhor dos anéis*, utiliza o termo *fairystory* (conto de fadas) para denominar o gênero fantástico, o domínio da fantasia e do encantamento. Ele acontece em um reino chamado Faerie, onde habitam não apenas fadas, mas todos os tipos de seres fantásticos, como bruxas, anões, elfos, ogros, *trolls*, gigantes, dragões, e também seres mortais quando se encontram encantados. Em Faerie, o perigo é sempre iminente; os obstáculos, as masmorras e a coragem têm lugar nesse reino mágico, distante e indefinido, eternamente presente no interior de cada ser humano.

Muitos contos de fadas revelam profundas relações com os mitos e ritos de passagem dos povos antigos, em que o iniciado era submetido a provas e, a partir de sua superação, alcançava uma nova etapa de vida. Segundo o folclorista russo Vladimir Propp em seu estudo *As raízes históricas do conto maravilhoso*, ritos aparentemente esquecidos sobrevivem nos contos, sendo estes, portanto, arquivos vivos que contém importantes dados para investigação histórica.

Encontramos temas míticos recorrentes em todos os cantos do mundo, que foram sendo filtrados pela "boca" do povo. As marcas populares tornam-se evidentes quando, por exemplo, o herói almeja superar sua condição de pobreza e inferioridade por meio de mediadores mágicos. Ou ainda nos contos que têm personagens amorais, histórias que não apresentam polarização entre o bem e o mal, mas reforçam a mensagem de que até o mais medíocre pode vir a ter sucesso na vida. Esse é o caso do clássico "O gato de botas", personagem que arranja o sucesso do herói através de trapaça, ou de "João e o pé de feijão", menino pobre que rouba o tesouro do gigante.

Poderíamos também citar o conhecido personagem dos contos populares brasileiros, Pedro Malasartes, que chegou ao país no armazém de histórias trazidas pelos povos da Península Ibérica. Este astuto anti-herói protagoniza inúmeras narrativas com suas malandragens ou "más artes". Trata-se de um "primo distante" do mais famoso personagem popular da Turquia, Nasreddin, Mulá Nasrudin em português. Ninguém sabe ao certo se Nasrudin realmente existiu ou se foi inventado, mas o fato é que este mulá (denominação oriunda de *mawla*, que significa "mestre" em árabe) nos ensina sempre com o humor poético de sua sábia loucura.

Sejam histórias de heróis ou anti-heróis, de uma forma ou de outra, os contos acessam experiências humanas indescritíveis, nomeiam sentimentos indefiníveis, tornam o encantamento absolutamente real e perceptível. Um bom conto de fadas suspende o tempo, altera a qualidade do ar que o circunda e causa agudas ressonâncias dentro de cada um de nós.

O gênero literário dos contos de fadas foi inaugurado em 1697 pelo francês Charles Perrault, poeta e advogado de prestígio na corte, ao publicar os *Contos de Mamãe Gansa*, reunindo oito histórias recolhidas da memória do povo: "A bela adormecida no bosque", "Chapeuzinho Vermelho", "O Barba Azul", "O Gato de Botas", "As fadas", "A gata borralheira", "Henrique do topete" e "O Pequeno Polegar". Por ser funcionário público, Charles Perrault achou melhor omitir sua autoria, atribuindo-a ao seu filho Pierre Perrault. A obra marca o início da literatura infantil.

Em seus primórdios, boa parte da literatura infantil foi baseada na adaptação de histórias populares à expressão oficial. Se ela nasceu como gênero com Perrault, somente cem anos mais tarde ela se constituiu definitivamente a partir das obras dos Irmãos Grimm, na Alemanha, expandindo-se então pela Europa e pelas Américas.

Wilhelm e Jacob Grimm empenharam-se em pesquisar as antigas narrativas orais alemãs, com o objetivo de levantar elementos para fundamentação do estudo da língua. Em suas investigações, encontraram imenso acervo de contos maravilhosos que, selecionados, constituíram a coletânea conhecida hoje como *Contos de Grimm*. É interessante observar que foram mulheres as suas grandes fontes, a memória fiandeira de suas histórias.

Entre os contos selecionados estão "Branca de Neve e os sete anões", "O príncipe sapo", "João e Maria", "A guardadora de gansos", "Os músicos de Bremen" e "Rapunzel". Porém, na primeira edição, muitos contos levantaram polêmica, pois foram considerados inadequados para crianças, de modo que os irmãos retiraram da segunda edição episódios muito cruéis e violentos, moldando as histórias para o público infantil com base em dogmas cristãos e valores da época.

As narrativas dos Grimm contribuíram substancialmente para a constituição da identidade cultural alemã e estão hoje presentes em praticamente todos os países do mundo. A designação de gênero *Märchen* (notícia, mensagem ou relato), que atribuíram às suas narrativas, não possui correspondência exata em nenhum dos vários idiomas que as acolheram. *Märchen* acabou sendo traduzido por "fairy tales" em inglês, "contes de fées" em francês, "conto de fadas" em português.

O sucesso dos Grimm incentivou muitos pesquisadores a preservarem a riqueza das histórias de tradição oral de seus povos, recolhendo e registrando relatos. No século XIX, as coletâneas de contos noruegueses de Peter Christen

Asbjørnsen e Jørgen Moe, e os contos russos de Alexander Nikolayevich Afanasyev são alguns exemplos.

Muitos escritores, também inspirados por esses contos, começaram a criar histórias na linha dos contos de fadas tradicionais. Esse foi o caso do inglês Lewis Carroll, autor de *Alice no País das Maravilhas* (1862); do italiano Carlo Collodi, com a *Storia di un burattino* ou *História de um boneco*, primeiro título de *As aventuras de Pinóquio* (1883); e do dinamarquês Hans Christian Andersen, que publicou seus contos entre 1835 e 1877.

Segundo o próprio Andersen, sua vida foi um conto de fadas. Nascido em família pobre, manifestou desde cedo interesse pela literatura e pelo teatro. Aos 14 anos, saiu de casa em busca de fortuna na capital Copenhague e, por uma conjunção de aventuras, acabou se tornando cantor, ator e escritor.

Andersen escreveu inúmeros contos maravilhosos, dentre os quais os mais conhecidos são "O patinho feio", "A roupa nova do rei", "A princesa e a ervilha", "Polegarzinha", "O rouxinol", "O soldadinho de chumbo" e "A sereiazinha".

No século XX, o editor italiano Giulio Einaudi decidiu publicar uma antologia de contos italianos que pudesse ser comparada à coletânea francesa de Perrault e à alemã dos Grimm, encomendando a tarefa ao escritor Italo Calvino. Assim nasceu, em 1956, *Fábulas italianas*, que, como pretendido, tornou-se um clássico.

Atualmente, em pleno século XXI, mesmo capturados pela aceleração caótica dos tempos, apesar de cada vez mais emaranhados nas redes da era tecnológica, vivemos curiosamente um crescente interesse pela literatura de domínio do maravilhoso, enredada pelo encantamento, no rastro-enredo das fadas.

DIÁRIO DE BORDO

Missivas para as fadas

Um antigo ensinamento hindu conta que as cartas manuscritas são como um aperto de mão à distância. Minha avó materna Elizabeth foi para mim a presença viva dessa comunicação, a grande fada da minha infância. Ela presenteava todos com bilhetinhos, cartinhas preenchidas com declarações de amor e pequenos versos.

Havia um pufe cor de laranja em seu escritório. Lá, eu me aninhava enquanto ela escrevia e então desenhava as minhas cartas para ela. Muito mais tarde, quando minha avó já tinha se despedido possivelmente em direção ao reino chamado Faerie, acompanhei diversas crianças em movimento espontâneo de comunicação com as fadas.

Não sabemos ao certo quando uma das crianças da Casa Redonda disse ter visto uma fada na forma daquelas borboletas enormes, azuis e negras, nem exatamente como aquela fada-borboleta foi batizada de Azulina. Mas sabemos que, a partir daí, houve uma verdadeira avalanche de cartinhas para Azulina e a Verdelina e a Roselina e a Vermelina e a Fada Dourada e também a Prateada e a Pretelina, a Beterrabina e a Arcolina ou Fada do Arco-Íris, a São-Paulina, a Corintiana, a Palmeirense, a Brasileira, dentre tantas outras.

As crianças deixavam suas cartinhas na maior árvore de todas, batizada de Árvore Mãe, ou então na Árvore da Sereia, que leva esse nome porque guarda uma escultura de madeira em forma de sereia integrada ao seu tronco.

Aproveitando uma cantiga de tradição oral aprendida com Lucilene Silva, coordenadora do Centro de Estudos e Irradiação da Cultura Infantil da OCA – Escola Cultural, em Carapicuíba, São Paulo, e, docemente fisgada pela recordação de minha avó materna, assumi a tarefa de ser a escriba das fadas. Comecei a responder às cartinhas em versos cantados, quadrinhas que se encaixavam na melodia da singela cantiga:

> Uma cartinha
> Daqui pra Alagoinha
> Uma cartinha
> Da sua mão para a minha[1]

Eu desenhava uma clave de sol no envelope para as crianças saberem que, com aquele símbolo, precisavam ler cantando. Por exemplo:

> Cantar é bom
> Eu só apareço assim
> Vamos todos cantar sempre
> Pro meu canto não ter fim

Ou então:

> Gosto muito, amiguinhos
> De cantar nessa escola
> Eu aqui canto voando
> E vocês jogando bola

Assim, foram aprendendo o que era um remetente e um destinatário. Alguns começaram a se alfabetizar por meio da troca de cartas. Uma criança que se iniciava nas

---

[1] Cantiga tradicional do Vale do Jequitinhonha. Pesquisa: Viviane Fortes da Silva.

letras conseguiu escrever à fada que queria um presente. E recebeu um minienvelope deixado na árvore:

> Eu respondo, meu amigo
> Para que fique contente
> Olha, existem muitas formas
> De se ganhar um presente
> Um presente pode ser
> Uma coisa feita à mão
> Um beijinho, um abraço
> Basta vir do coração
> Pode ser uma cartinha
> Ou um raminho de flor
> Uma carta como esta
> Que te dou com muito amor

Luís tinha cinco anos e grande dificuldade para estabelecer vínculos com os colegas e professores. Encontrou na correspondência com as fadas uma forma diária de organização interna. Esse menino desmerecia a brincadeira, ridicularizando aqueles que faziam cartinhas, mas depois desenhava as suas. Ordenadamente, ele escrevia e ilustrava cada cartinha apenas com a cor específica daquela fada e, escondido, assim como quem não quer nada e almeja tudo, despejava um envelope nas folhagens. No dia seguinte, a primeira coisa que fazia ao chegar à escola era conferir sua "caixa de correio" na árvore.

De alguma maneira, esse persistente exercício de comunicação com o "Reino das Fadas" auxiliou a integração daquela criança. Luís começou a estabelecer vínculos com os amigos e a olhar sem desvios os olhos das professoras nos momentos de diálogo. Os gestos, antes destrutivos, passaram a se construir com capricho e às claras, não mais às escondidas.

Importantes mensagens foram sendo enviadas a cada criança, recados muito mais bem-assimilados por entrarem pela "via das fadas". A aproximação de festas coletivas como a de São João, a visita de algum convidado, a chegada da primavera, passaram a ser contadas pelas fadas (a Fada Junina, a Prima Vera, a Fada da Estrela etc.). Para Gabriel, a experiência foi tão significativa que ele continuou enviando cartinhas por intermédio da irmã Ananda, mesmo quando já não era mais aluno da Casa Redonda.

Certa manhã, fiz uma grande confusão que acabou rendendo novidades. Costumava deixar alguns envelopes de cartinhas já preparados, mas naquele dia confundi os envelopes e coloquei na árvore os vazios, em vez das cartinhas prontas. Uma criança gritou: "Não tem nada escrito! É a Fada do Nada!". Bem, disse que deveria ser a Fada do Nada sim, e que ela parecia ter colocado os envelopes em branco para que as crianças completassem com desenhos e mensagens.

Assim surgiu mais essa brincadeira endereçada à Fada do Nada; eu deixava os envelopes em branco e as crianças começaram a deixar papeizinhos em branco para que a fada completasse. Talvez a Fada do Nada fosse a Branquelina, pelos papéis em branco, ou a Fada Peixe, pois "quem nada é peixe"...

Em outra época, houve o movimento de as crianças inaugurarem cartinhas para as Fadas do Nome, e cada uma passou a escrever para a sua "fada xará". Surgiram a Fada Elena, a Fada Flora, a Fada Sofia, a Fada do Felipe etc. E também as fadas das pessoas da família: Fada do Papai, Fada da Vovó, Fada do Miguel (ainda na barriga da mãe) etc. Por fim, as fadas relacionadas aos sentimentos: Fada Vergonha (que Flora desenhou e pintou ruborizada), Fada Alegria, Fada Coração.

Fui percebendo que aquela correspondência vinha se revelando como mais uma forma de contar histórias e, talvez por isso, tenha sido tão desafiadora para mim. Através das cartas, as crianças acessavam um território interno profundo e nos contavam um pouco mais de suas próprias histórias. Em nossas reuniões de professores, aprendíamos muito a respeito dos alunos observando os desenhos recolhidos e o que eles revelavam.

A comunicação com as fadas vem se perpetuando na tradição oral da escola, os mais velhos iniciando os mais novos, sendo muitas vezes ativada por algum elemento externo que acorda a lembrança da brincadeira. Alguma criança com dente mole querendo se comunicar com a Fada do Dente, por exemplo, pode contagiar outras tantas a retomar o movimento, ora em ciclos mais intensos, ora menos, de acordo com o grupo.

Acreditamos que as fadas têm um papel propiciatório; elas aproximam realidades de planos diferentes, tornando possível a mediação entre a terra e o céu, a realidade concreta e a imaginária, o visível e o não visível. Elas falam a linguagem simbólica do brincar, acessam a via dos contos. São representações anímicas e favorecem a comunicação da criança com sua alma. Para as crianças, nessa primeira infância, as fadas são uma ponte: um verdadeiro arco-íris. E os mais belos desenhos são endereçados a elas, de alma para alma.

Muitas vezes fiquei paralisada pela responsabilidade imensa de responder a uma cartinha destinada diretamente à alma de uma criança. Nessas ocasiões, procurava pensar menos, reavivava a memória do pufe cor de laranja da minha avó materna e pedia às fadas que me guiassem...

DE BOCA EM BOCA
As variantes do conto

> *Havia sido capturado, de maneira imprevista, pela natureza tentacular, aracnídea do meu objeto de estudo; e não era esse um modo formal e externo de posse: pelo contrário, colocava-me perante sua propriedade mais secreta – sua infinita variedade e infinita repetição.*
>
> Italo Calvino

O mais antigo conto escrito de que se tem notícia foi composto pelo escriba Anana, durante a dinastia do faraó Quéops, há aproximadamente 3.200 anos, no Egito, e encontra-se no Museu Britânico, em Londres. O manuscrito trata da história de dois irmãos envolvidos em uma discórdia semeada pela mulher de um deles.

INSTANTE DO CONTO: DOIS IRMÃOS

Anpu e Bata moravam juntos. Bata, o caçula, ajudava o irmão mais velho no campo e com o gado. Quando Bata recusou os assédios da bela esposa de Anpu, a mulher, orgulhosa e vingativa, acusou-o de tê-la violentado. Tomado pela ira, Anpu decidiu matar Bata, que foi avisado por sua vaca favorita e fugiu. Anpu pôs-se a persegui-lo. Para se proteger, Bata invocou o deus Ra, que fez surgir um rio coalhado de crocodilos entre os irmãos. O mais novo jurou inocência e, para prová-la, cortou um pedaço de sua carne e o atirou na água aos crocodilos.

Bata avisou o irmão que iria partir para o Vale da Acácia, onde sua alma seria transferida para a flor mais alta da acácia. Mas, se a flor tombasse, ele morreria. Então, ele ensinou a Anpu o processo de ressuscitá-lo e disse que Anpu saberia a hora certa de fazê-lo, ao receber um copo com água de cevada que se agitasse no vidro. Acreditando no irmão, Anpu voltou para casa e matou a esposa.

Vendo Bata solitário no Vale da Acácia, os deuses criaram uma companheira para ele. Os dois viviam felizes e a única coisa que pedia à esposa é que jamais chegasse perto do mar, mas não demorou muito para que ela o desobedecesse. Quando viu a beleza estonteante da jovem, o mar se apaixonou, lançando ondas gigantescas em sua direção. Para protegê-la, a acácia jogou nas águas uma mecha dos cabelos da esposa de Bata, que o mar levou até o rio onde eram lavadas as roupas do faraó.

A fragrância divina das roupas lavadas chamou a atenção do faraó que, ao descobrir sua origem, mandou capturar a moça dos cabelos perfumados. Deslumbrada com os presentes raros com que o faraó a cobriu, a bela mulher contou-lhe o segredo da vida de seu marido. O soberano mandou cortar a árvore do vale, de modo que sua flor mais alta caiu no chão e Bata tombou morto.

No mesmo instante, Anpu recebeu um copo com água de cevada que se agitou no vidro. Partiu, então, em viagem até encontrar o corpo do irmão, mas a flor havia desaparecido. Após longa busca, encontrou a flor da alma, mergulhou-a na água e deu de beber a Bata, que voltou à vida na forma de um touro gigante. Anpu montou o touro e eles se apresentaram ao faraó, que jamais havia visto uma criatura tão bela. O touro foi levado aos estábulos reais, sendo tratado em grande estilo e frequentemente enfeitado com guirlandas pelas damas.

Quando a esposa de Bata, agora princesa, aproximou-se do animal, ele revelou sua identidade. Assustada, ela convenceu o faraó que só seria feliz se tivesse como remédio o fígado do touro, que foi abatido. Duas gotas de seu sangue caíram no chão e se transformaram em duas imensas e perfeitas árvores. No momento em que a esposa se aproximou delas, Bata acusou-a de traiçoeira.

> Imediatamente a jovem ordenou a derrubada das árvores, instante no qual uma farpa voou e caiu na boca da princesa, que a engoliu. Nove meses depois ela deu à luz um filho, que o faraó criou como seu amado príncipe herdeiro. Era Bata.
> Com a morte do faraó, o príncipe Bata revelou ao povo toda a verdade, e a esposa foi severamente punida. Ele se tornou rei do Egito, encantando seu povo junto ao irmão, que foi nomeado ministro da corte. ∎

É fascinante observar que os motivos temáticos desse conto encontram-se espalhados em histórias pelo mundo todo. A primeira parte, por exemplo, apresenta extraordinárias semelhanças com o início da narrativa bíblica "José e a mulher de Potifar". A trama de Anpu e Bata, repleta de acontecimentos mágicos, revela temas recorrentes em diversos contos tradicionais e motivos que reaparecem no clássico "Crianças douradas", dos Irmãos Grimm, e na história congolesa "Os gêmeos", entre inúmeras outras. Câmara Cascudo (2012, p. 223) identificou motivos da história em alguns contos populares do Brasil. Segundo ele, a temática do sacrifício do boi para que a mulher comesse seu fígado, que aparece no conto "Quirino, vaqueiro do rei", recolhido no Rio Grande do Norte, e "O boi Leição", narrado em Alagoas, teve mais tarde o fígado substituído pela língua, como nos folguedos do Bumba Meu Boi no Maranhão e em outros estados brasileiros.

A vida de um personagem que morreu guardada em algum elemento da natureza é motivo temático presente em inúmeras histórias. Podemos citar aqui o conto tradicional de Natal (RN) "A menina enterrada viva", variante do conto popular da Bahia "O figo da figueira", e o conto tradicional argentino "A flor de Lirolay", que por sua vez nos faz lembrar o mito de Pã e a ninfa Sírinx. São infinitas as associações. A combinação de motivos temáticos na difusão de histórias que atravessam os tempos e as distâncias geográficas reflete a força admirável da palavra como agente integrador entre os homens. A psicoterapeuta Marie-Louise von Franz, discípula do grande psiquiatra suíço e pai da psicologia analítica Carl Gustav Jung, traduz esse "fenômeno" através de belas imagens:

> [...] quando uma história está enraizada em algum lugar, ela é uma saga local; e, quando ela vagueia como uma planta aquática sem raízes, adquire a característica abstrata de um conto de fada, e que se uma vez mais adquirir raízes, torna-se novamente uma saga local. Pode-se usar a analogia de um cadáver, sendo o conto de fada os ossos ou o esqueleto, a parte que não é destruída, pois ele é o núcleo básico e eterno de tudo. Ele reflete com mais simplicidade as estruturas arquetípicas básicas. (2008, p. 18)

Essas estruturas arquetípicas são o esqueleto da alma. O clássico "Cinderela", por exemplo, encontra inúmeras versões, mas o esqueleto da alma desse conto sobrevive ao redor do mundo. É uma das histórias tradicionais mais conhecidas em diversos países e centenas de variantes vêm sendo estudadas e comparadas por pesquisadores. Poucos contos alcançaram tanta popularidade entre o público de todos os gêneros, faixas etárias e camadas sociais, tendo sido recriado na literatura, teatro, cinema, televisão, fotonovela, quadrinhos, entre outras formas de expressão.

A mais antiga versão escrita da obra é chinesa e encontra-se em *Yuyang Tsatsu*, um livro de mágicas e contos sobrenaturais escrito por Tuan Ch'eng-shih no século IX, durante a Dinastia Tang. O informante da versão registrada por Tuan foi um servo da família, Li Shih-yüan, velho descendente de povos aborígines.

> **INSTANTE DO CONTO: YEH-HSIEN, A CINDERELA CHINESA**
>
> Um antigo chefe era casado com duas mulheres, uma das quais morreu, deixando uma filha, Yeh-Hsien. A menina acabou despertando a inveja da madrasta, que passou a maltratá-la. O único amigo de Yeh-Hsien era um peixe vermelho de olhos dourados que ela alimentava diariamente. Quando a madrasta ficou sabendo disso, matou o peixe e o comeu. Muito triste, Yeh-Hsien começou a chorar. No mesmo instante, um sábio apareceu e contou a ela que os ossos do peixe eram mágicos e que ela deveria recuperá-los. Assim foi.
> Proibida de ir a uma festa tradicional, Yeh-Hsien pediu aos ossos que satisfizessem seu desejo e pôde desfrutar de tudo, ricamente vestida e adornada. Mas quando julgou estar sendo reconhecida pela madrasta e por sua filha, fugiu correndo com tanta pressa que acabou perdendo um de seus belos sapatinhos. De mão em mão, ele chegou ao conhecimento do rei, que ficou intrigado, pois os menores pés eram grandes diante do sapatinho. Sendo os pés pequenos um especial atributo de beleza, o rei saiu em busca da verdadeira dona até encontrar Yeh-Hsien, com quem se casou. ∎

Charles Perrault escreveu "Cendrillon" ou "A gata borralheira" em 1697, baseado no conto popular italiano "La gatta cenerentola" que integra a coletânea *Lo cunto de li cunti – O Conto dos Contos* ou *Pentamerone*. Em associação ao *Decameron*, coleção de cem novelas escritas no século XIV por Giovanni Boccaccio, o *Pentamerone* reúne cinquenta contos redigidos por Giambattista Basile, com publicação póstuma em 1634 e tradução para o alemão em 1846, graças ao estímulo dos Irmãos Grimm que admiravam o autor napolitano como grande mestre do conto maravilhoso. *Cenere* significa cinza em italiano, o mesmo que *cinder* em inglês, daí o nome "Cinderella".

Quando Perrault inaugurou a literatura infantil na França do período Barroco, recolheu motivos da tradição oral e os agregou aos seus contos. No caso de "A gata borralheira", alguns elementos que inventou não se encontram nas versões posteriores dos Irmãos Grimm, mas foram eternizados através de ilustrações e do filme de Walt Disney. A carruagem em forma de abóbora, os ratos transformados pela Fada Madrinha e o sapatinho de cristal, criações de Perrault, ficaram desde então marcados na memória dos leitores e ouvintes. "Auschenputtell", versão dos Irmãos Grimm, descreve sapatinhos de ouro e não apresenta a figura da Fada Madrinha; a ajuda mágica vem das pombinhas da nogueira que cresceu sobre o túmulo da mãe da menina.

Em seu livro *O violino cigano e outros contos de mulheres sábias*, Regina Machado (2004) reconta uma Cinderela algonquin, conto das Primeiras Nações da América do Norte, encontrado no livro *World tales*, de Idries Shah, através do qual também ficou sabendo que a pesquisadora inglesa M. R. Cox recolheu 345 versões da história!

Existem variantes deste clássico centradas em torno de um personagem masculino equivalente à Cinderela, como o "moço das cinzas" ou Askeladden no folclore norueguês, que atravessava os dias com olhar perdido em devaneios, cutucando as cinzas da lareira, ou o herói Ivan, no folclore russo, que passava seu tempo perto do fogão, esfarrapado, zombado pelos irmãos mais velhos, e contava com o cavalo mágico Sivko-Bourko, auxiliar sobrenatural que corresponde à fada madrinha de Cinderela.

No Brasil, a heroína é também chamada Maria Borralheira. No livro da pesquisadora Edil Silva Costa, *Cinderela nos entrelaces da tradição* (1998), a autora traz importante contribuição relacionada ao conto popular, elegendo versões de "Cinderela" recolhidas na tradição oral da Bahia.

Vamos visitar duas variantes desse conto e analisá-las. A primeira pertence à recolha de Edil Silva Costa e a outra foi escrita pelos Irmãos Grimm.

INSTANTE DO CONTO: AS COMADRES[2]

Havia duas comadres, uma rica e outra pobre. Cada uma tinha uma filha, e cada uma das meninas se chamava Maria. A mulher rica vivia pedindo a filha da comadre pobre para criar, mas na verdade queria mesmo que ela trabalhasse em sua casa. Como a mulher pobre não abria mão de sua filha de jeito nenhum, a comadre rica convidou a pobre para tomar um banho de rio, com a intenção de matá-la e ficar com sua filha.

Assim foi. Ela empurrou a comadre nas águas mais fundas e a mulher morreu porque não sabia nadar, mas virou um peixe encantado que ficou morando no poço do rio. Satisfeita, a outra voltou para casa. Então ficou enganando a menina, e, como ela era muito pequena, acabou esquecendo a mãe.

Quando completou sete anos, a madrinha mandou Maria lavar uma trouxa gigante de roupa no rio com uma bolinha de sabão minúscula. A menina foi, mas ficou chorando, sem saber o que fazer. De repente apareceu o peixe, que engoliu a roupa e a bolinha de sabão e que dali a pouco cuspiu tudo muito bem-lavado, perfumado e engomado. Maria ficou feliz da vida, pois agora sempre teria ajuda do peixe mágico.

---

2 "As comadres" é a versão recolhida por Edil Silva Costa (1998) e foi mais tarde publicada por Alcoforado e Albán (2001) sob o título "Maria e o peixe encantado".

Mas a madrinha, desconfiada, mandou sua filha, a outra Maria, vigiar a afilhada no rio e descobriu tudo. Enquanto isso, o peixe encantado contou à menina que era sua mãe e disse exatamente o que ela deveria fazer. Dito e feito. A madrinha mandou pescar o peixe e fez Maria prepará-lo para comer. Como o peixe havia ensinado, a menina cozinhou sem provar nem um pouquinho e, depois que a madrinha e sua filha terminaram de saborear, Maria catou toda espinha, toda escama e o fato do peixe[3], juntou tudo num papel e o enterrou à meia-noite, na porta do palácio do rei, sem que ninguém a visse.

Pela manhã, o príncipe acordou com o perfume da roseira nascida exatamente no lugar em que a menina tinha enterrado os restos do peixe. Havia uma única rosa no pé, mas ninguém conseguia colher a flor porque ela pulava de galho em galho. O príncipe anunciou que só se casaria com a moça capaz de colher a rosa. Uma tarefa impossível! Até que veio Maria, entregou a rosa ao príncipe e, quando virou moça formosa, eles se casaram. ■

Edil Silva Costa (1998) menciona o "Ciclo da gata borralheira" enquanto conjunto de textos estruturados em torno do motivo nuclear da menina atormentada. Incluímos a este ciclo o conto "Um-Olhinho, Dois-Olhinhos, Três-Olhinhos" (GRIMM e GRIMM, 1989), que pode ser considerado uma variante de "Cinderela".

INSTANTE DO CONTO: UM-OLHINHO, DOIS-OLHINHOS, TRÊS-OLHINHOS

Uma mulher vivia com suas três filhas. A mais velha tinha um único olho bem no meio da testa, por isso chamava-se Um-Olhinho; a do meio tinha dois olhos, como as outras pessoas, e se chamava Dois-Olhinhos; e a mais nova chamava-se Três-Olhinhos porque tinha três olhos, o terceiro também no meio da

---

3 A palavra "fato" tem como um de seus significados "vísceras de animais, miúdos".

testa. As irmãs e a mãe, que pareciam bem estranhas aos olhos dos outros, não suportavam Dois-olhinhos, porque ela não era diferente das pessoas comuns, e a maltratavam sem piedade.

Um dia, Dois-Olhinhos levou a cabrinha para pastar e estava tão triste, com tanta fome, pois comia apenas as migalhas das outras, que se sentou no caminho e começou a chorar. Dois riachinhos escorreram de seus olhos formando uma lagoa, e no espelho da lagoa surgiu uma bela mulher. Ela ensinou à menina palavras mágicas que fizeram aparecer uma mesinha com mil iguarias: *"Berra, cabrinha. Põe-te, mesinha"*. E depois outras palavras para fazer desaparecer a mesinha: *"Berra, cabrinha. Some, mesinha"*. A partir de então, todos os dias, Dois-Olhinhos levava a cabrinha para pastar, falava as palavras, a cabrinha berrava, a mesinha surgia e depois sumia.

Desconfiada, pois a menina andava agora toda contente e já nem chorava mais por migalhas de comida, a mãe mandou Um-Olhinho vigiar a irmã. Dois-Olhinhos percebeu a intenção da mãe e deu uma canseira na irmã, subindo uma montanha bem alta. Quando finalmente se deitaram para descansar, Dois-Olhinhos embalou Um-Olhinho cantando assim: "Um-Olhinho, velas tu? Um-Olhinho, dormes tu?". A irmã fechou seu único olho e adormeceu. Enquanto isso, Dois-Olhinhos fez a mágica e comeu as delícias servidas na mesinha, de modo que a outra não descobriu nada.

Então, a mãe mandou Três-Olhinhos vigiar Dois-Olhinhos no dia seguinte, mas, dessa vez, Dois-Olhinhos errou a fala da cantiga: "Três-Olhinhos, velas tu? Dois-Olhinhos, dormes tu?". Dois dos olhos adormeceram, mas o terceiro ficou acordado, bem no meio da testa, apenas fingindo dormir, e assim ela desvendou o segredo da irmã.

Furiosa, a mãe cravou um facão no coração da cabrinha mágica. Dois-Olhinhos foi chorar na beira do mato, e, novamente, no espelho da lagoa de suas lágrimas, surgiu a sábia mulher. Ela aconselhou a menina a enterrar os restos da cabrinha na porta de casa quando todos estivessem dormindo. E assim fez a moça.

Na manhã seguinte, encontrou uma árvore maravilhosa, carregada de maçãs de ouro, exatamente no lugar em que havia enterrado as vísceras de sua cabrinha. A mãe mandou Um-Olhinho

e Três-Olhinhos colherem as frutas, mas as maçãs escapavam sempre! Apenas Dois-Olhinhos conseguia pegá-las.
Foi então que um belo cavaleiro se aproximou, atraído pela árvore. Imediatamente as irmãs esconderam Dois-Olhinhos embaixo de um barril e disseram ao jovem que eram as donas da macieira, porém nenhuma delas conseguia colher uma fruta sequer para dar a ele.
De seu esconderijo, Dois-Olhinhos fez rolar as maçãs recém--colhidas na direção do cavaleiro que, admirado, perguntou às outras de onde tinham saído as frutas. Então, as duas foram obrigadas a revelar a irmã. Dois-Olhinhos apareceu, colheu uma maçã para o cavaleiro e tornou-se sua esposa. As irmãs quase morreram de inveja, e a árvore, que pertencia a Dois-Olhinhos, seguiu sua dona até o palácio!
Muito tempo depois, Um-Olhinho e Três-Olhinhos foram pedir esmola no castelo. Dois-Olhinhos reconheceu as pobres, cuidou delas com carinho, e ambas se arrependeram de coração do mal que um dia haviam feito à irmã. ∎

Em ambos os contos, observa-se o tema da menina maltratada por uma figura feminina. Não se trata de uma madrasta, como em "A gata borralheira", mas da madrinha rica, no caso de Maria, e da própria mãe, no caso de Dois-Olhinhos.

Nas duas histórias há a presença de uma figura mágica bondosa: a mãe encantada em peixe e a mulher sábia, espécie de fada madrinha que confere à cabrinha seu caráter mágico ao ensinar a fala encantada.

Nos dois contos, as heroínas atravessam obstáculos, simbolizados pela morte da mãe-peixe e da cabrinha, ambas mortas pelas opositoras: a madrinha e a mãe invejosa.

A ação das heroínas é executada em seus mínimos detalhes com compenetração, exatamente como a mãe encantada em peixe e a mulher sábia haviam ensinado.

Tanto o peixe quanto a cabrinha passam pelo rito de morte e renascimento por meio de uma mágica transformação. Ambos são enterrados pelas heroínas e renascem transformados respectivamente em pé de flor e árvore com maçãs de ouro, guardando semelhanças com a versão "A gata borralheira" dos Irmãos Grimm, em que uma nogueira nasce sobre o túmulo da mãe, regada pelas lágrimas da filha.

No final, a justiça manifestada em "A gata borralheira" – o sapatinho que cabia apenas no pé da borralheira – é representada pela flor, que apenas Maria consegue tirar do pé, e pelas frutas de ouro, que somente Dois-Olhinhos é capaz de colher. A rosa e as maçãs são os sapatinhos de cristal de Cinderela. A árvore das maçãs de ouro pertence à moça Dois-Olhinhos por direito e se desloca em direção à sua nova morada, o castelo. Maria casa-se com o príncipe, e Dois-Olhinhos, com o belo cavaleiro, vivendo felizes para sempre.

Em *Estórias de Luzia Tereza*, o pesquisador brasileiro Altimar Pimentel (1995) apresenta a versão "Maria Três Olhos", informada por Luzia Tereza dos Santos, extraordinária contadora popular da Paraíba.

INSTANTE DO CONTO: MARIA DOIS OLHOS

Maria Dois Olhos é maltratada pela madrasta e por suas duas filhas, Maria Um Olho e Maria Três Olhos. A moça se enamora de um príncipe encantado em pássaro, e as outras se encarregam de colocar navalhas na janela onde ele pousava. Ferido, o pássaro parte para seu reinado, e Maria Dois Olhos peregrina em busca dele. No caminho, é auxiliada por uma velha fada que lhe dá uma galinha com seis pintinhos de ouro e uma pata com seis patinhos de ouro.

Ao descansar em cima de um pé de pau, escuta a conversa entre dois passarinhos que revelam a cura para o príncipe:

passar em suas feridas o pó do fígado de um deles. Com a ajuda da fada e o segredo dos passarinhos, Maria cumpre sua missão, vira princesa e nunca mais ouve falar das outras. ∎

Em seu livro *Contos folclóricos brasileiros*, o poeta e folclorista Marco Haurélio (2010) apresenta uma variante de "Maria Borralheira", narrativa que, segundo ele, "pertence à mesma família" do conto de sua lavra "Cara de pau" que, por sua vez, é versão baiana de "Pele de asno", de Perrault, de "Pele de bicho", dos Grimm, e de "Bicho de palha", variante recolhida por Câmara Cascudo no Rio Grande do Norte. Nestes contos a heroína foge de um pai incestuoso ou da madrasta malvada e vai trabalhar no palácio do príncipe, escondendo sua beleza atrás de outra pele.

Em "História do sal", registrada no já citado *Contos populares brasileiros: Bahia* e gravada no CD "Abra a roda tin dô lê lê", de Lydia Hortélio, a princesa é expulsa de casa pelo pai que fica indignado quando a moça compara o amor que sente por ele ao sal, tempero popular e barato. Ela sai pelo mundo e acaba tangendo patos no castelo do príncipe, com o rosto coberto por asquerosa máscara feita de fato. No reconto "A falsa velha", escrito pelo simbolista francês Stéphane Mallarmé (1994) a partir de contos e lendas da Índia Antiga, a heroína Flor de Lótus encontra o cadáver de uma velha no fundo de um fosso. Descola a pele do rosto da morta, lava a máscara ressecada e então veste seu rosto com o rosto da outra.

Flor de Lótus é "prima irmã" da princesa brasileira que tangia patos com sua máscara feita de fato, da princesa que precisou se esconder atrás da pele de seu asno mágico, daquela que se cobriu com o manto confeccionado com retalhos da pele de vários bichos, da moça que usava uma cara de pau esculpida com suas mesmas feições, e também da outra que vestia uma capa de palha entrançada.

Edil Silva Costa (1998) relata diversos exemplos de auxiliares mágicos nas variantes deste "Ciclo da gata borralheira": um caranguejinho dourado, uma vaca, uma galinha, as pombinhas, a fada madrinha e a própria Nossa Senhora. Buscando a interpretação simbólica desses elementos, o olhar da autora sinaliza que todos podem ser vistos como representações da mãe.

Nas diversas versões de "Cinderela", encontramos a representação do princípio materno em suas qualidades positivas e negativas: a mãe continente, acolhedora, que nutre e promove o crescimento da filha, e a mãe malvada que limita e ameaça. Esta última pode aparecer retratada como madrasta ou como percebeu Fernanda, de quatro anos: "Na história da Dois-Olhinhos a madrasta é a própria mãe!".

Há muitos contos de madrastas que maltratam seus enteados e tantos outros de crianças abandonadas recolhidas por pessoas gentis que as adotam, auxiliando-as na descoberta de seu poder pessoal e de seu verdadeiro caminho. Da mesma forma, a madrinha pode aparecer como fada mágica e auxiliadora, ou ao contrário, como em "As comadres", em que ela compete com a mãe de Maria e acaba matando-a.

Os contos falam através de metáforas, não devem ser interpretados literalmente. Na maior parte das vezes, a madrasta aparece relacionada ao princípio materno negativo, porém madrastas na vida real podem ser mais maternais que as próprias mães. E estas podem se tornar verdadeiras bruxas para seus filhos em vários momentos. Do mesmo modo, as bruxas dos contos podem ser malvadas ou magas feiticeiras bondosas.

A imagem mítica da Grande Mãe reúne, em si mesma, os dois aspectos: ao mesmo tempo em que doa a vida, ela devora, revelando atributos terríveis das profundezas da Terra e dos abismos. O lobo, a bruxa, o dragão, a serpente, citando apenas alguns personagens que aparecem nos contos, podem muitas vezes ser interpretados como símbolos do feminino devorador, da face irada da Grande Mãe.

No caso das duas variantes de "Cinderela" apresentadas neste capítulo, encontramos esse aspecto terrível representado pela madrinha má e pela mãe, que certa vez um grupo de crianças apelidou de Zolhuda porque, segundo elas, "tinha olhos nas bochechas, no nariz, na língua, no pescoço, na cabeça, no umbigo, nas unhas e nas solas dos pés! Ela era uma monstra!".

"As comadres" e "Um-Olhinho, Dois-Olhinhos, Três--Olhinhos" são exemplos que revelam o caráter universal e ao mesmo tempo particular dos contos. Em "As comadres", Maria é obrigada a lavar roupa no rio, o que pode ser considerado uma roupagem regional sobre o esqueleto do conto clássico.

É fantástico observar como ambos encontram íntimo "parentesco" com a versão chinesa mencionada anteriormente.

Pode ser muito enriquecedora a visita a outras variantes de contos e o encontro com seus pontos de convergência, especialmente versões de contos que nos são particularmente caros. Pesquisar e identificar outras versões das histórias clássicas preferidas pelas crianças pode se tornar uma brincadeira significativa. Existe uma "Rapunzel" brasileira? Como será a história de "João e Maria" narrada pela boca de um contador popular nos interiores do Brasil?

Fica aqui o convite!

PALAVRA DE CRIANÇA

Cabe a nós observar como as crianças sabem e fazem espontaneamente a identificação entre as várias versões de um mesmo conto. Mikan, de seis anos, ouvindo "O bicho Manjaléu" (ROMERO, 2007, p. 23), disse repetidas vezes: "Eu conheço essa história! Tenho certeza que eu já sei essa, conta outra? Eu quero uma nova, não quero essa!".

Disse ainda: "É aquela do *troll*, não é?! Eu sei que é", fazendo menção ao conto norueguês "O troll que não levava o coração no peito" (AUBERT, 1992). E insistia: "Já sei! Vai ser a do gigante!", ao se lembrar do conto brasileiro "A vida do gigante" (MACHADO, 2004, p. 23). E interrompia: "Conta outra, vai...". Mas, no desenrolar do conto, ele foi se reencantando, calando, até concluir balançando a cabeça: "Essa história é nova mesmo, é igualzinha, mas é bem diferente!".

Sábia definição infantil para a infinita variedade e inumerável repetição dos contos tradicionais, sempre tão antigos, velhos conhecidos, e ao mesmo tempo em eterna renovação. ■

DIÁRIO DE BORDO

Os motivos universais dos contos nas brincadeiras das crianças

Venho observando como, desde cedo, as crianças reconhecem os esqueletos dos contos, seus motivos universais, os temas essenciais de uma história. Identificam padrões de personagens, os obstáculos, as tarefas do herói, e estabelecem relações: "Já sei, aposto que é o irmão mais novo que vai conseguir tudo, né? Ele é bobo, mas acho que é ele que vai ganhar a princesa". Ou: "Olha, essa história da 'Princesa de Bambuluá' é igualzinha à do 'Papagaio real', mas nessa é o moço que sai procurando, e na outra, é a moça!". Ou ainda: "Sempre tem três tentativas! Com certeza, ele vai vencer na terceira vez".

A partir do momento em que as histórias tradicionais vão sendo contadas, muitas versões de contos vão sendo criadas e brincadas pelas crianças, que preservam o esqueleto principal, naturalmente incorporado por elas.

Diversas vezes, enquanto conto uma história, alguém pede: "Depois você conta aquela?". É possível perceber a associação, seja pela estrutura semelhante, por uma imagem parecida, uma palavra marcante, alguma nuance de clima comum, algum gesto de acolhimento repetido pelo contador e recebido significativamente pela audiência. A relação fica guardada dentro da criança, sendo o pedido renovado de acordo com suas necessidades internas.

Um dia contei a um grupo de crianças o conto cantado "A cabrinha e a onça", variante baiana do clássico dos Irmãos

Grimm "O lobo e os sete cabritinhos". Logo a história contada virou brincadeira de casinha a partir da ideia de Tayná, de cinco anos. Construímos a casa com caixotes e tecidos e brincamos o conto. Atendendo aos pedidos das crianças, eu era mãe e onça e elas eram os cabritinhos.

No dia seguinte, Tayná chegou animada carregando o livro da Cinderela de Walt Disney e pediu para brincar a história, assim como havíamos brincado com a outra. Por muito tempo brincamos esta história e então iniciei um projeto com variantes do conto. Narrando algumas versões do conto, percebi que as crianças identificavam claramente uma estrutura comum, e isso se refletia nas brincadeiras. Elas iam fundindo imagens das variantes, mas preservavam o esqueleto da história.

Aos poucos foi nascendo a nossa Cinderela – uma costura de várias outras Moças, Marias, Aninhas, Rosas, Borralheiras – através de cenas brincadas por toda a escola. Reconhecendo e preservando a essência do conto, pudemos combinar cantigas e contá-lo ao nosso modo, com a liberdade criadora das brincadeiras.

Na maior parte das vezes, as crianças projetavam em mim a figura da madrasta, da fada madrinha, da mãe encantada em peixe. As Cinderelas eram sempre muitas, mas aos poucos foram nascendo também as filhas da madrasta e os bichos, tanto aqueles que protegiam as heroínas quanto os que as ameaçavam.

A brincadeira exigia algumas intervenções minhas, no sentido de acalmar os menores que mostravam medo da madrasta (e nessa hora, os maiores ajudavam: "É a Cris, a gente só tá brincando!") e de administrar a força das crianças que "atacavam" as Cinderelas (os bichos e as irmãs malvadas, às vezes chamadas Três-Olhinhos e Um--Olhinho, deviam brigar de *faz de conta*).

Duda, uma Cinderela de três anos, ficou assustada quando as irmãs rasgaram seu vestido no faz de conta, mas, com a repetição, e assistindo à brincadeira do lado de fora por um tempo, aprendeu a lidar com os limites e, no final, já adorava falar: "Vem, agora eu, me rasga! Me rasga!".

Nem sempre o mesmo grupo de crianças que terminava a brincadeira era o que havia começado, muitos iam se agregando e desagregando no meio do caminho, participando apenas das partes que tinham sentido para eles.

Sem dúvida, o momento de maior participação era a hora da transformação das Cinderelas e bichos pela Fada Madrinha – todos fechavam os olhos e eu cantava uma brincadeira aprendida com o educador e pesquisador mineiro Adelsin:

Lagarta pintada, quem foi que te pintou?
Foi uma velhinha por aqui passou...
No tempo das areias, levanta a poeira
Pega essa menina pela ponta da orelha.
(Ou: Pega esse menino pela ponta da orelha.)[4]

---

[4] Como se brinca originalmente a cantiga: uma criança coloca-se no centro da roda e as outras ficam agachadas em volta, com as mãos fechadas como nos jogos de escolha. A criança que está no meio vai marcando o toque de sua mão nas mãos dos amigos junto ao acento das palavras, no ritmo da música. Ao final da cantiga, aquela que tiver sua mão tocada por último, deve pegar com esta mão a orelha do amigo ao lado. Depois de algumas vezes, quando todos estiverem segurando as orelhas dos amigos de ambos os lados e também tiverem as suas próprias orelhas nas mãos deles, devem se levantar, sem soltar as orelhas, e assim girar e cantar cada vez mais rápido!

Eu entoava a cantiga como se fosse a fada madrinha, dando um toque com um sino na orelha do menino ou menina escolhido para transformação. Nesse instante mágico, ao ouvirem a música, fechavam os olhos, à espera...

Observando todo o processo de criação das Cinderelas, pude enxergar mais claramente a figura da mãe e da madrasta como personificações da cabrinha e da onça do conto cantado que desencadeou as brincadeiras, a partir da possível associação feita por Tayná; um "conto de bichos-gentes" como por fim ela o batizou. Por meio do movimento das crianças, pude reconhecer também o movimento dos contos: o modo como os motivos temáticos vão se costurando, recombinando e se atualizando no fluxo vivo da oralidade. Brincando, as crianças acabaram criando mais uma variante para o clássico que encontra o maior número de versões ao redor do mundo.

O CONTADOR DE HISTÓRIAS DE BOCA

> *Há muito tempo atrás, e muito longe daqui, existiu um contador de histórias. Um só não, muitos. Eles contavam suas histórias junto à lareira, nas cozinhas, em meio à estrada e durante o trabalho. Frequentavam as cortes dos nobres e os lugares onde o povo se reunia. [...] Em todas as épocas, viajantes, artesãos, avós e contadores profissionais contaram histórias para seus vizinhos, anfitriões, colegas de trabalho e para as crianças.*
>
> Dan Yashinsky

O contador de histórias é uma figura ancestral, presente no imaginário da humanidade. Também conhecido como narrador de raiz, o contador tradicional ou popular pertence à corrente de transmissão oral de um patrimônio cultural. É o portador de histórias muito antigas, aprendidas na oralidade e guardadas na memória, junto ao seio de sua comunidade. O narrador é um instrumento: ele empresta sua voz, seus gestos e expressões para veicular a memória coletiva. Ele conta a partir de sua intuição, deixando fluir prazerosamente, através de si, muitos séculos de história.

Em tempos primitivos, os contadores de histórias eram xamãs, detentores dos grandes segredos da vida. A palavra tem origem siberiana e, na língua do povo nômade dos tungues, quer dizer "aquele que enxerga no escuro". O termo "xamanismo" foi criado por antropólogos para definir o conjunto de crenças ancestrais de raízes arcaicas que vêm sendo estudadas entre os esquimós, os índios das Américas do Norte, Central e do Sul, entre os povos aborígines da Austrália, da Oceania, do Sudeste Asiático, da Índia, do Tibete e da China.

Ainda hoje os xamãs contadores de histórias são iniciados na arte de transitar entre os mundos, enxergando no escuro do invisível e orientando as pessoas nessas travessias, durante as quais elas se desprendem das referências do dia a dia. Eles são intermediários entre a dimensão espiritual, a natureza e a comunidade. Valendo-se da voz, da dança, dos cantos e das batidas do tambor, sintonizando cada coração com o coração da Terra, o xamã guia seus ouvintes através do ritmo, do som e da cadência das palavras e, ao serem conduzidos de volta, retornam dessas jornadas trazendo consigo uma nova experiência de vida, memória inabalável de sua tradição e identidade.

Na cultura celta, os bardos eram exímios contadores de histórias, poetas e músicos que transmitiam os ensinamentos druidas por meio de sua arte. Eram responsáveis pela conservação e perpetuação da cultura de seu povo. O povo celta encontrava-se profundamente relacionado aos mistérios da natureza, e o espírito mágico revelava-se em suas histórias tradicionais. O conhecimento era transmitido oralmente, de geração em geração; para os druidas, escrever suas histórias seria o mesmo que aprisionar seus espíritos!

No noroeste da África, o *griot*, ou griô, é o mestre da palavra, o guardião da oralidade de seu povo; é ele que não permite que a cadeia de transmissão dos conhecimentos fundamentais de uma vida se apague. Também conhecido como *jéli* ou *djeli*, que na língua bambara (*bamanankan*) do antigo Império Mali significa "o sangue que circula", o *griot* é aquele que faz circular os saberes e histórias de seu povo, fortalecendo a identidade ancestral da comunidade. Como disse certa vez o *griot* Toumani Kouyaté, natural de Burkina Faso: "A palavra é um lago profundo". E o contador de histórias tradicionais encontra-se imerso neste lago...

Para os povos indígenas, a origem do mundo, da paisagem e da tribo humana está intimamente ligada à formação da Terra. O índio brasileiro Kaká Werá Jecupé (1998) relata que o contador de histórias dos povos indígenas inicia um ensinamento a partir das raízes culturais de sua nação, e esta memória começa antes de o tempo existir.

Nas comunidades tradicionais, que vivem integradas ao ambiente natural, a natureza é a grande ancestral, a mediadora entre o homem e a fantasia. As matas, os rios, os mares, as noites estreladas favorecem a imaginação, propiciam a narração de histórias povoadas por espíritos, assombrações e encantamentos.

É interessante observar que, nessas comunidades, as histórias são contadas para bebês, crianças, adultos e velhos, sem nenhuma separação de faixa etária. E os saberes se constituem de modo integrado, articulando diversas formas expressivas, como cantos, danças, histórias e fazeres.

Francisco Assis de Sousa Lima descreve o território de presença espontânea do contador tradicional na cultura popular brasileira:

> O contador comparece aos terreiros e salas, acontece espontaneamente na oportunidade hospitaleira dos arranchos e pernoites. É pretexto nas reuniões familiares, em noites de Sexta-Feira da Paixão, enquanto se espera a hora do galo. Estaria presente ao ritmo das debulhas. É ponto e contraponto nas conversas em noites, com cadeiras nas calçadas. Pode ir à roça, animar o trabalho nas leiras e nos eitos. Acompanha o viajante nos caminhos e travessias. Insinua-se nos lugares do acalanto, e é palavra tecida e rendada no colo de avós, rendidas ao pedido, ao convite e à cumplicidade dos netos. (2005, p. 61)

Infelizmente, os contadores estão desaparecendo das comunidades tradicionais, engolidos pela era da tecnologia. Por outro lado, nos centros urbanos, diversos profissionais da literatura oral vêm desenvolvendo essa arte em escolas, bibliotecas, hospitais, casas de repouso, centros culturais, empresas. O profissional que conta histórias hoje não herda esse conhecimento da comunidade à qual pertence, mas aprende lendo nos livros, ouvindo outros contadores e também pesquisando contos na fonte da tradição.

Enquanto o contador tradicional ou popular tinha e ainda tem uma função em sua comunidade, o papel do contador profissional é levar histórias para diversos espaços. Como uma espécie de menestrel medieval, ele conta em contextos variados, para pessoas que não conhece, mas que acabam se tornando "íntimas" no instante do encontro com a história.

Sobretudo a partir da segunda metade do século XX muitos enveredaram por esse caminho e, atualmente, vivemos um movimento mundial de retomada das tradições, havendo grande demanda pelo profissional que conta histórias. Há encontros de contadores em vários lugares do mundo que promovem intensa troca de experiências para que essa arte não entre em extinção. É interessante ressaltar que, no Brasil, alguns contadores tradicionais, que inicialmente desempenhavam profissões variadas em suas comunidades, começaram a ser solicitados fora delas, recebendo tantos convites que passaram a atuar também como contadores de histórias profissionais.

Talvez essa demanda esteja crescendo cada vez mais porque, aqui e ali, as pessoas estejam sentindo falta da escuta e da contemplação, do silêncio e da admiração, percebendo o quanto andam carentes de sutileza e de encantamento. Em tempos de aceleração e impessoalidade, de relações superficiais e descartáveis, de encontros virtuais e atenção passageira, compartilhar histórias gera sentido, religa as pessoas consigo mesmas e com as outras, abrindo frestas para um encontro que pode ecoar por mil e uma noites...

Segundo o professor de teatro britânico Patrice Pavis, o profissional que conta histórias:

> é um artista que se situa no cruzamento de outras artes. Quase sempre sozinho em cena, narra sua ou uma história, dirigindo-se diretamente ao público, evocando acontecimentos através da fala e do gesto, interpretando uma ou várias personagens, mas voltando sempre ao seu relato. Reatando os laços com a oralidade, situa-se em tradições seculares [...]. A arte

do contador de histórias se insere na corrente do Teatro Narrativo [...] casando perfeitamente a atuação e a narrativa [...]. Com recursos mínimos, o contador de histórias rompe a quarta parede e tira bastante proveito dos milagres da cena. (2001, p. 69)

Em geral, o contador cria a experiência, enquanto a audiência cria imagens particulares a partir das palavras ouvidas e dos gestos vistos, sendo cocriadora da história. Na maior parte das vezes o contador não decora o texto: ele visualiza a história, cena por cena, personagens e paisagens, e então vai improvisando as palavras, de acordo com seu estado de espírito, sua inspiração, e com o diálogo que estabelece junto aos ouvintes.

Outros contadores preferem decorar o conto do início ao fim – nesse caso, a história contada parte da forma escrita, o contador saboreia cada palavra do texto lapidado, escolhido ou escrito para tal fim.

De qualquer modo, a visualização do conto e a troca com o público acontecem, e a história está sempre em movimento; as narrativas do mesmo conto nunca são exatamente iguais. O contador de histórias é o elo entre a narrativa e a audiência, um importante elemento de continuidade e transformação, pois a narrativa se adapta e incorpora elementos do presente: a ação do narrador sobre a história no instante em que ela está sendo contada.

Ao se aproximar de uma história que irá contar, e também durante sua apresentação, o contador empresta uma parte de si ao conto e o conto empresta uma parte de si ao contador, ambos se fundem em um só corpo. O conto é "circulante como o anel que passa de mão em mão" (LIMA, 2013).

Cada contador brinca com este anel à sua maneira. Tempera o conto com pitadas de sua própria vida. Outra bela metáfora para o diálogo entre o contador e a história foi proposta pelo filósofo judeo-alemão Walter Benjamin: a narrativa "mergulha a coisa na vida do narrador para em seguida retirá-la dele. Assim se imprime na narrativa a marca do narrador, como a mão do oleiro na argila do vaso" (1994, p. 205).

Toda história de tradição oral tem um coração, e o coração da história atravessa os tempos guardado na memória dos povos, reinventado pela palavra de cada contador. Por fim, a audiência devolve a narrativa ao coração do narrador com novas marcas, outros temperos, para que ele brinque com ela novamente. O contador abriga o conto e o conto abriga o contador, juntos constituem um mesmo e único ser, que só irá se realizar plenamente na comunhão viva com a audiência. Quando as experiências se tornam tão íntimas, todos se reconhecem humanos, cada um à sua maneira; os caminhos se cruzam e se confirmam, como se pertencessem aos capítulos de um mesmo livro: vasos sanguíneos de um mesmo coração.

Cada vez mais a atividade de contar histórias é presença cotidiana nas creches e escolas de educação infantil. Aproximar as crianças da literatura, seja oral ou escrita, é uma diretriz de políticas públicas nacionais para a educação. Dessa forma, muitos educadores vêm buscando maior contato com a arte de narrar, caracterizando-se como educadores contadores. Nas palavras da autora Heloisa Prieto:

> Em plena virada do milênio, quando o professor se senta no meio de um círculo de alunos e narra uma

história, na verdade cumpre um desígnio ancestral. Nesse momento, ocupa o lugar do xamã, do bardo celta, [...] do porta-voz da ancestralidade e da sabedoria. Nesse momento ele exerce a arte da memória. (1999, p. 41)

Contar histórias tradicionais não é mero passatempo, entretenimento, ou recurso para distrair as crianças. É essencial que o educador contador tenha a consciência de sua responsabilidade na transmissão desse saber ao mundo contemporâneo e de sua fundamental importância na primeira infância. É imprescindível que reconheça o poder ancestral da palavra como guia. E, acima de tudo, é primordial que escute com o coração, e que este portal se abra para que as histórias entrem, pois, como escreveu o índio Daniel, da nação munduruku: "Se as palavras conseguirem adormecer dentro do coração, quando acordarem, sairão histórias novas, contadas a partir do sonho do contador..." (2005, p. 24).

DIÁRIO DE BORDO

Plantando "As três laranjas do amor"

Sou educadora e contadora de histórias. Na maior parte das vezes, leio ou escuto uma história e, então, eu a conto aos meus alunos de modo espontâneo, procurando apenas me manter fiel ao esqueleto da sequência narrativa. A partir das participações das crianças e do imaginário riquíssimo que brota dessa interação, reescrevo o texto. Faço novo registro das imagens trazidas pelas crianças e das que as crianças despertam em mim. Repito o processo de passar o texto pelo filtro das crianças algumas vezes, até sentir que cheguei a uma forma satisfatória.

É esta forma que trabalho com o músico que irá me acompanhar nas apresentações ao público. Durante os ensaios, outras alterações, ajustes e ideias acontecem em sintonia com ele. Por fim, apresento a história para um público desconhecido ou novamente para meus alunos. Todas as participações significativas da audiência e eventuais improvisos que eu venha a realizar são registrados e muitas vezes incorporados ao texto.

Assim, a educadora e a contadora estão eternamente trocando histórias dentro de mim, uma aprendendo com a outra. Assim, a oralidade fornece material para a linguagem escrita e esta, por sua vez, pode a todo momento ser recontada e recriada pela oralidade. Assim, a história está sempre em movimento.

Um contador de histórias pode ser conduzido por palavras-chave, por imagens-chave, por palavras que despertem imagens, ou por imagens que despertem palavras. Ele pode manter vivo o tom da oralidade, ou marcar a narrativa com tom literário, e pode também estabelecer rica conversa entre ambos. O importante é que estas formas tenham sentido para ele.

Em 1999, quando pesquisava histórias para o meu projeto artístico "Dançando histórias: contos flamencos", a grande contadora de histórias Regina Machado me presenteou com uma versão em espanhol do belíssimo conto tradicional "As três laranjas do amor". Imediatamente reconheci a história "A moura torta", que minha tia Titita costumava me contar "de boca", em seu colo. Foi amor à primeira vista, ou melhor, relembrança.

Logo no início da versão espanhola, uma feiticeira incomodada com a alegria radiante de um príncipe, lança sobre ele uma maldição, e rapidamente o jovem se entristece e nunca mais sorri. Tempos depois, cansado de ser triste, ele parte em busca de três laranjas mágicas, capazes de trazer felicidade àquele que as encontrasse.

Assim que li essa parte da história, a maldição da feiticeira foi se transformando na imagem de uma pesada bigorna no coração. Bigorna que me remeteu ao *cante* flamenco *jondo*, profundo, mais precisamente aos lamentos dos ferreiros entoando seus cantos de trabalho durante a forja de metais, ao ritmo marcado nas bigornas de ferro. Sob esta inspiração traduzi o texto para o português, escrevendo minha história da história. A passagem original – "y la mujer le echó una maldición" ("e a mulher lhe jogou uma maldição") – ganhou a seguinte forma: "Angústia... A palavra da feiticeira foi como um toque soprado à distância. Imediatamente o príncipe ficou triste, com uma bigorna de ferro instalada no peito, e, a cada batida do seu coração, a bigorna redobrava um sino de angústia profunda".

Eu me lembrava perfeitamente da angústia que a moura torta me causava quando criança. Desse modo, a palavra "angústia" foi guiando o fio da narrativa na minha versão do conto, do início ao fim. Em meu subtexto, o contraponto, ou contrafeitiço, era o colo de minha tia...

Em oficinas de formação, quando conto "As três laranjas do amor", proponho depois um exercício em roda utilizando uma laranja que circula de mão em mão. Sugiro que os educadores, em um primeiro momento, amaldiçoem a fruta e, na segunda rodada, a bendigam. A ideia é imaginar a laranja como representação de alguma pessoa ou situação e assim iniciar a conversa com ela através de palavras-intenções. Uma educadora verbalizou certa vez: "Senti muita dificuldade em amaldiçoar a laranja, coitadinha, ela é só uma fruta, não tem culpa de nada, mas aí entendi que tinha que falar algo que para mim seria maldito. Então consegui!". Essa tradução pessoal é o texto secreto que vai temperar a nossa história na hora de contar.

"As três laranjas do amor" acordaram em mim muitos textos secretos. E muitas imagens literárias. Mesmo não decorando o texto, estas imagens estão sempre presentes. Por exemplo, no instante em que, diante do príncipe, a última laranja mágica se transforma em "una princesa más guapa que el sol" ("uma princesa mais bela que o sol"), complementei com este trecho: "e o sol dos olhos dela foi se pôr no horizonte dos olhos dele...". O momento final do conto, quando rei e rainha se reencontram depois de outro grande feitiço da bruxa que os havia afastado por muitos anos – "llegó el rei e se abrazó a la reina" ("o rei chegou e abraçou a rainha") –, em minha versão ficou deste modo: "Os dois se abraçaram à sombra da laranjeira. Ela adivinhava o beijo dele e ele trazia há muito tempo a lembrança do beijo dela. Na verdade, eu acho que foram os beijos guardados que se encontraram, enquanto os amantes apenas emprestavam seus lábios...".

Contando e recontando às crianças, o tom espontâneo da oralidade foi também incorporado à história. As laranjas mágicas se encontravam em uma caverna guardada por três cachorros loucos, e o príncipe foi dando um pão a cada cachorro, a fim de atingir o coração da caverna. Lá encontrou três caixas e, agarrado a elas, fugiu da caverna para então abrir a primeira caixa, de onde saltou uma laranja sedenta. Certa vez, nesse momento do conto, Mateus, de cinco anos, perguntou: "Mas como é que ele saiu de lá, se os cachorros estavam na entrada? Agora o pãozinho já tinha acabado, né?". Realmente, pensei, devia tratar-se de uma gruta, pois as cavernas têm apenas uma entrada, e as grutas, uma entrada e uma saída. Desde então, costumo brincar com isso, fazendo à audiência a mesma pergunta que me fez um dia aquela criança.

Há um momento no conto em que a feiticeira pede para pentear os cabelos da princesa e enterra um alfinete em sua cabeça, que passei a representar por uma *peineta* espanhola (pente curvo, uma espécie de travessa). Imediatamente a princesa se transforma em uma pomba aflita, que voa ao redor do príncipe, tentando contar-lhe o que aconteceu, mas o príncipe não compreende o que ela diz.

Certa manhã, enquanto eu contava essa parte da história, Luca, de cinco anos, foi ficando com a angústia da pomba e perguntou: "Mas por que o príncipe não falou pombada? É a língua das pombas! Ele devia ter falado pombada...".

Muito tempo depois, ao espetar a *peineta* no topo da cabeça da princesa que se transformou em pomba, procurei experimentar falar *pombada*. Como seriam os gestos, o olhar aflito da pomba? Observando a cena lá do alto, agitando as asas, contando à audiência as maldades da feiticeira com o peito emplumado de angústia, comecei a narrar essa parte do conto sob a perspectiva da pomba, que ficou ali, acompanhando toda a história sem poder fazer nada. Passei a contar a cena em terceira pessoa e, ao mesmo tempo, a ilustrar por meio do tom da voz, do corpo e do olhar o desespero da personagem.

Contando histórias, exercitamos a todo momento essa espécie de "poliglotismo". Falamos a língua das crianças, que é o brincar. Falamos a língua de cada personagem, como pombada. Falamos a língua dos contos, revelando seus padrões universais, seus saberes *de cor*. Falamos a nossa língua. Contar histórias é uma linguagem criativa geradora de vínculos: com os contos, com a audiência, com nossa própria história. No meu caso, o degradê de sensações vividas no colo da Titita, minha paixão pelo flamenco e meu pertencimento ao Brasil.

Nunca me esqueci de uma fala do índio Daniel Munduruku (2006)[5]: "Se tivesse que escolher somente uma história, uma história para me casar, uma história predileta, eu

---

5 Comunicação oral em mesa-redonda no I Encontro Internacional Boca do Céu de Contadores de Histórias, em São Paulo, 2001 (Sesc Vila Mariana).

me casaria comigo mesmo, com a história que temos que contar todo dia, porque senão a gente fica um pouco triste e a vida perde o sentido".

Com "As três laranjas do amor" sinto que me casei um pouco mais comigo mesma. A dança flamenca se abrasileirou e o Brasil se "aflamencou". Através desta história, dancei com castanholas a cantiga tradicional "Flor, minha flor" e compus uma sevilhana brasileira. Através dela dissolvi muitas bigornas e comecei a falar uma língua própria. Tenho profundo amor por essas laranjas.

Somente sendo fiéis à nossa fala interna poderemos tecer uma empatia com as diversas falas ao redor e nos reconhecermos na fala universal de uma história. Então, perceberemos que contador e conto já não podem mais ser separados, pois constituem verdadeiramente um só corpo.

De boca aberta

A oralidade na cultura da criança e na cultura popular

Avoa alma, avoa!
Alma, saudade comprida
Alma é querer de novo
Brincar o inteiro da vida!

Cristiane Velasco

BOCA DE CRIANÇA
A palavra brincante

> Alma é a capacidade que o homem tem de lembrar a perfeita unidade do mundo antes de as coisas existirem e é o desejo de atingir a meta onde a perfeita unidade será novamente possível [...]. Na plenitude do presente vive a criança, e porque o vive – suspende o tempo.
>
> Agostinho da Silva

Ao tratarmos a arte de contar histórias no contexto da educação infantil, torna-se imprescindível trazer uma visão mais abrangente daquilo que seria a cultura própria da infância, o conjunto de experiências, descobertas e fazeres da criança buscando a si mesma e ao outro em sua interação com o mundo. Conjunto este que encontra raízes muito antigas na memória da humanidade. Na cultura da criança, o processo de conhecimento acontece universalmente através do brincar, e a arte de contar e ouvir histórias encontra-se inserida nesta linguagem.

Contar histórias na educação infantil implica um mergulho em outro jeito de experimentar, descobrir e fazer. Aprender a olhar a criança do ponto de vista da criança.

Quanto mais o educador estiver imbuído da linguagem do brincar, mais próximo das crianças ele se encontrará.

O grande contador de histórias mineiro, João Guimarães Rosa, comenta, em entrevista, sobre seus primeiros anos:

> Não gosto de falar da infância. É um tempo de coisas boas, mas sempre com pessoas grandes incomodando a gente, intervindo, comentando, perguntando, comandando, estragando os prazeres. Recordando o tempo de criança, vejo por lá um excesso de adultos, todos eles, mesmo os mais queridos, ao modo de soldados e policiais do invasor em pátria ocupada. [...] Um dia ainda hei de escrever um pequeno tratado de brinquedos para meninos quietos. (apud LIMA, 1997, p. 39)

É nesse convívio de inteireza do menino quieto que o gesto infantil brota espontaneamente. Muitas vezes, a concentração inquebrantável da criança que brinca não é compreendida pelo adulto que vive um tempo fragmentado, cronometrado, acelerado, acostumado a objetivos e resultados, na expectativa de produtos. O adulto espera que, assim como ele, a criança em sua rotina não fique só brincando, como se brincar fosse sinônimo de não fazer nada.

Certa vez, Luca, de três anos, brincava sozinho, quieto. Ele se encolhia, rolando sistematicamente de um lado para o outro, aparentemente fazendo nada. De repente, verbalizou contente: "Estou praticando o poder do tatu-bola". Ana, aos quatro anos, passou muito tempo imóvel, de quatro, olhando para o nada e, ao ser indagada sobre o que exatamente fazia ali, respondeu: "Silêncio, eu sou um cavalo".

Ora, a intencionalidade da criança pequena que brinca com o mundo é simplesmente brincar com o mundo. As crianças, se lhes fosse permitido, passariam o dia imersas nele, brincando.

A criança conhece o mundo, conhece o outro e conhece a si mesma enquanto brinca. É curioso que, mesmo brincando sozinha, ela fala em voz alta durante longo tempo, ou brinca sem palavras, absolutamente silenciosa, com a palavra impressa no corpo, no olhar. Muitas vezes as crianças que brincam com os elementos da natureza vão silenciosamente explorando, descobrindo e transformando pequenas coisas em coisas gigantes, uma vez que, no mundo mágico da imaginação, elas têm total maestria.

Um antigo texto dos maori, povo da Oceania, conta que há muito tempo atrás, quando o céu ainda estava bem perto da terra, as mães colhiam estrelas para as crianças brincarem e, brincando, elas construíam seu lugar entre o céu e a terra. O brincar é essa ponte. Contar e ouvir histórias são formas de brincar, de construir esse lugar entre o céu e a terra.

A palavra "brincar" deriva da raiz latina *vinculare*. Brincar cria vínculos. Brincando a criança estabelece pontes de sentido em direção a si mesma e ao seu entorno. Contando e ouvindo histórias também. Muitas vezes, os contos são tratados apenas como histórias para divertir ou distrair, mas, considerados em sua profundidade, eles se revelam espelhos da experiência humana.

Nos primeiros anos de vida, a criança vive imersa no universo das imagens carregadas de significados. Na medida em que escuta uma história, uma ponte se estabelece entre palavras e imagens internas correspondentes, em um aprendizado autorregulador de integração da consciência. A visão da criança é transportada para onde a ação está ocorrendo, seu olhar atravessa o contador. Ela vive as palavras: a palavra para ela *é* imagem.

"Quando você conta uma história, eu assisto tudo aqui na minha tela", disse João, de quatro anos. A imaginação, ou a capacidade de "assistir em minha própria tela", é favorecida pelas histórias, que permitem o exercício de ver criativamente; imagens em ação, brincando dentro de cada criança.

A palavra "metáfora" vem do grego *metaphorein*, composto por *meta*, que significa "aquilo que está entre" e por *phero*, que significa "carregar, transportar". Metáfora é uma imagem que pode criar a ponte entre diferentes sentidos; ela transporta o sentido literal de uma palavra ou frase para seu sentido figurado.

Firmar a base dessa capacidade simbólico-metafórica é tarefa fundamental da primeira infância, o que ocorre por meio do brincar – e a narração de histórias tem um papel importantíssimo nesse processo. As figuras simbólico-metafóricas que aparecem nos contos tradicionais representam, identificam ou apontam estados internos, sugerindo relações que abrem novas áreas de pensamento.

O escritor norte-americano Joseph Chilton Pearce descreve claramente a importância de se contar histórias na primeira infância:

> A palavra falada tem papel crucial para a criança desde que está no útero. As palavras narradas estimulam o cérebro a criar um fluxo correspondente de imagens. Esse ato criador representa um enorme

desafio para o cérebro e requer praticamente todos os campos neurais; é por isso que as crianças parecem "catatônicas" quando ouvem uma história. A absorção necessária a esse fluxo de imagens é tão completa que não sobra energia para mais nada. [...] Cada nova história requer uma sequência inteiramente nova de interações entre campos neurais, as crianças querem ouvir a mesma história o tempo todo [...] porque a repetição provoca a mielinização dos campos entretecidos exigidos no fluxo de imagens de cada história. [...] Assim, quanto mais histórias e mais repetições, mais campos neurais e conexões entre eles entram em jogo. Quanto mais forte e permanente se torna a capacidade de interação verbo-visual, mais fortes se tornam a conceituação, a imaginação e a atenção, enquanto o escopo e a flexibilidade das capacidades neurais em geral aumentam. (1992, p. 129)

Desde cedo, a narrativa faz parte da vida das crianças. A audição é o primeiro sentido a se desenvolver no embrião humano, ainda com três semanas de vida. E o som primordial ouvido dentro do útero é o tambor do coração da mãe, amplificado em sua propagação através do líquido amniótico. Chegando ao mundo, as crianças escutam os acalantos, sussurros e palavras de ternura de uma mãe embalando seu filho, chamados de "brincos" (do latim *vinculum*, brinco, brincar). Assim nasceram as cantigas de ninar, pelas quais mãe e filho estabelecem seus primeiros vínculos afetivos, em uma espécie de mantra.

"Brincos" também são os brinquedos que fazemos com a criança bem pequena, colocando-a sobre os joelhos, brincando de cavalinho, balançando, procurando algo na palma das mãos dela, batucando seu corpo, tocando uma campainha ao apertar delicadamente seu nariz, entre outras infinitas formas.

Ainda antes de aprenderem a falar, as crianças escutam, encantadas, a fala dos adultos. A princípio, a compreensão das palavras é quase secundária; a criança pequena fica fascinada pela sonoridade, expressão, movimentação da boca de quem conta algo. E quando aprendem a falar, falam constantemente em voz alta em suas brincadeiras; a palavra dita, o discurso da criança, faz parte da construção de seu mundo interno.

Aos poucos, a narrativa vai se estendendo na vida da criança através de inúmeras cantigas com letras, brinquedos cantados e ritmados, que também contam histórias. Muitas vezes, as cantigas e as primeiras histórias contadas pertencem ao armazém de memória significativa dos pais, provavelmente cantigas e contos que ouviam em suas infâncias.

Na escola, o professor que conta uma história compartilha o poder de criar vínculos afetivos através da palavra. E a lembrança daquilo que a criança aprende com essa experiência guarda o estado emocional que envolveu a aprendizagem.

Em sua maior parte, os professores da primeira infância são mulheres, e a escola de educação infantil assume uma segunda instância do vínculo com o princípio feminino. A professora que conta histórias para as crianças participa de uma interação que transcende o plano verbal, estando a serviço de um saber *de cor*, um saber do coração. As crianças relacionam-se com o mundo através dessa consciência cardíaca e compartilham essa busca em suas brincadeiras.

O coração é o primeiro órgão a se diferenciar no embrião de uma criança. No início era o coração. O coração do embrião pulsando em sintonia com o coração da mãe. Hoje, sabemos que o coração é um órgão de inteligência – neurofisiologistas já constataram que ele, em mais de sua metade, é composto de neurônios da mesma natureza daqueles que compõem o sistema cerebral. O coração, de fato, pensa. Mas pensa de um jeito diferente, pensa da mesma forma que pensaria um tambor ou uma estrela-guia, pensa como regente de cada célula do corpo humano, pensa enquanto ritmo que contém em si a cantiga do universo, a pulsação maior da vida...

E o brincar é essa afirmação da vida. Nas palavras da pesquisadora da cultura da criança e da música tradicional brasileira Lydia Hortélio (2008), deve-se brincar para ser feliz e não para aprender alguma coisa, porque o brinquedo tem um fim nele mesmo. Atribuir ao brincar uma finalidade pedagógica específica é destituí-lo de seu caráter essencial de liberdade e criatividade humana. Brincar é o viver da criança pequena.

Da mesma forma, as histórias são muito maiores que a função que porventura possa ser atribuída a elas. O simples fato de atribuirmos funções à determinada história reduz seu poder transformador – o contar para ensinar alguma coisa minimiza sua força integradora. Aprendemos muito mais com os contos, pela via de nosso coração pensante, do que pensamos estar ensinando por meio deles.

Estabelecer objetivos para a história já é interromper o fluxo de vida da narrativa, porque o mesmo conto pode brincar de formas diferentes dentro de cada contador e de cada criança. É impossível saber tudo o que elas realmente aprendem a partir dessa experiência, pois cada uma estará inventando e reinventando para si mesma a sua história da história, de acordo com o que fizer sentido naquele instante. Como relata o professor de filosofia da educação da Universidade de Barcelona, Jorge Larrosa:

> Fazer com que o mundo pareça aberto. Essa é uma bela imagem para um professor: alguém que conduz alguém a si mesmo. É também uma bela imagem para alguém que aprende: não alguém que se converte num sectário, mas alguém que, ao ler com o coração aberto, volta-se para si mesmo, encontra sua própria forma, sua maneira própria. Porque se alguém lê ou escuta ou olha com o coração aberto, aquilo que lê ressoa nele; ressoa no silêncio que é ele, e assim o silêncio penetrado pela forma se faz fecundo. E assim, alguém vai sendo levado à sua própria forma. (2007, p. 51-52)

Os contos ensinam nas entrelinhas, nos falam de valores fundamentais que estão sempre se atualizando no momento em que uma história é contada. Mais abrangente talvez do que falarmos na velha e fixa moral da história, seria considerarmos a história como morada. Morada dessa intimidade universal, morada de sabedoria da alma coletiva e, ao mesmo tempo, individual.

Vale lembrar o versinho do repentista paraibano Pinto do Monteiro, analisado por Braulio Tavares em seu livro *Contando histórias em versos: Poesia e romanceiro popular no Brasil*:

> Eu só comparo esta vida
> À curva da letra S:

Tem uma ponta que sobe
Tem outra ponta que desce
E a volta que dá no meio
Nem todo mundo conhece...

Mas é ali mesmo que tudo acontece! O aprendizado não ocorre de forma linear, ele caminha aos saltos. E as histórias nos fazem brincar de balanço, nos auxiliam nesse aprendizado profundo, são nutrientes da alma; a experiência de ouvir uma história pode nos fazer saltar, cada vez mais alto, para dentro de nós mesmos.

As crianças escutam histórias e, com extrema sabedoria, solicitam aquelas que respondem às suas necessidades internas naquele momento, potencializando as possibilidades do conto. Um dia, Ana Ayume, aos seis anos, disse: "Eu adivinho tudo o que vai acontecer. Eu 'previo' o destino, só nas histórias, né? Nas histórias, eu sei. Uma vez que você conta uma história pra mim é igual a mil vezes!".

Uma criança pede mil vezes a mesma história porque, por alguma razão (que apenas o coração pensante conhece), foi fisgada, capturada, surpreendida, acalentada, nutrida por ela, e deseja repetir a experiência significativa, torná-la novamente presente. Não se trata de uma necessidade de aprender o conto, pois desde a primeira vez elas já têm uma percepção integrada de todo o seu conteúdo, assistindo à história como um cinema interno, e em nenhum instante perdem o fio da narrativa, cobrando do contador a total precisão de detalhes. É comum que as crianças nos corrijam a partir da segunda vez que escutam a mesma história: "Não é assim! Está errado! Quando você contou aquela vez, você falou outra coisa...".

Elas também vão se apropriando de imagens e partes de contos tradicionais conhecidos para inventar suas próprias histórias: "Eu inventei imediatamente, agora. Toda vez que eu falo uma palavra eu invento outra", contou Alexia, de quatro anos. As histórias contadas, recontadas, inventadas e reinventadas pelas crianças, em eterno faz de conta, fazem parte do movimento de brincar.

Assim caminha a oralidade, e é aí que mora a maravilha e a poesia da cultura da criança – Matias, aos cinco anos, disse que o reino de Bambuluá, do conto popular "A princesa de Bambuluá", era assim chamado "porque tinha muito bambu lá!", e, tempos mais tarde, Duda, aos seis anos, ouvindo a mesma história contou que "em Bambuluá tinha bambuzal e luar".

A mesma forma de inventar de uma criança encontra relações profundas com a matéria tradicional. Como será que surgiu o nome do reino de Bambuluá na cultura popular que vem perpetuando este conto ao longo do tempo? Muito provavelmente a partir de uma brincadeira com palavras ou de uma associação de imagens, alguém que contou o conto e aumentou pontos, em um movimento próximo ao das crianças. Na oralidade, a cultura da criança e a cultura popular caminham de forma parecida, e quando falamos em "histórias de boca" estamos justamente percorrendo esse caminho.

No manancial de literatura oral da primeira infância, uma história pode virar brinquedo, que pode virar cantiga, que pode virar trava-língua, que pode virar brincadeira de mão, que pode virar pega-pega, que pode virar acalanto, que pode virar história novamente. O brincar reúne infinitas narrativas.

Lydia Hortélio costuma contar em suas oficinas que chamar o brincar de brinquedo era natural em sua infância, na Bahia. Dar o mesmo nome ao fenômeno e ao objeto com o qual se brinca revela grande coerência, "porque o brinquedo é assim mesmo, indivisível" (HORTÉLIO E REYES, 2013). No brinquedo tudo acontece ao mesmo tempo!

Como o universo da cultura da criança tem enorme correspondência com o universo da cultura popular, torna-se bastante proveitoso que o educador se aproxime desse conhecimento. Estamos falando em linguagens integradas de modo orgânico, espontâneo. Aprendendo com elas, podemos dar saltos verdadeiros e evoluir muito em nossas práticas educacionais, enriquecendo o instante de contar histórias.

O brincar combina palavra, ritmo, cantiga, movimento. Os termos "brinquedo" e "brincadeira" aplicam-se também às manifestações populares brasileiras, que integram músicas, danças, cantos, poesias, histórias, representações dramáticas, fazeres artísticos. Os artistas populares não se dizem músicos, dançarinos ou contadores de histórias, eles se autodenominam "brincantes" e o seu espetáculo é o seu brinquedo, a sua brincadeira.

Folguedos são as festas populares brincadas todos os anos, em determinadas datas, em diversas regiões do Brasil – como os festejos do Divino, do Bumba Meu Boi, os Pastoris e os Reisados. Folguedo, ou ato de folgar, é sinônimo de brincadeira, de farra, de folia e reinação. É uma festa do tempo de antigamente, que o folião aprendeu a fazer com o pai, que aprendeu com o avô, que aprendeu com o bisavô...

O povo brincante da nossa cultura popular afirma a vida através de suas manifestações e festas. As crianças, quando brincam, também afirmam a vida integrando histórias, danças e cantos. A espontaneidade, a liberdade e a criatividade são a essência dos brinquedos populares e dos brinquedos de crianças, o que nos leva a compreender as linguagens do brincar como verdadeiras narrativas da alma humana, gerando sentido individual e ao mesmo tempo coletivo. Podemos conhecer muito da identidade de um povo por meio das brincadeiras tradicionais da infância e de suas festas e brincadeiras populares. E podemos nos reconhecer nelas, em profundo pertencimento.

A expressão "histórias de boca" é usada espontaneamente pelas crianças e pelos contadores populares brasileiros ao se referirem às narrativas orais. Contos, lendas e mitos são histórias de boca. Uma brincadeira de mão, uma quadrinha, uma cantiga de roda ou de ninar também são histórias de boca. Um trava-língua, uma parlenda, uma adivinha, são pequenas histórias de boca.

As crianças costumam pedir: "Conta uma de boca?". E os contadores populares avisam: "Vou contar uma de boca...".

O modo pelo qual homens e mulheres do povo contam suas histórias de boca é muito próximo da maneira observada na primeira infância. Em ambos os contextos, as narrativas apresentam cadência, simplicidade, expressando-se de forma direta e enxuta. As cenas são unidas por muitos "aí então", na justaposição de imagens vivas. Pensando metaforicamente, as crianças e os contadores populares transformam o mundo em histórias, comungam a poesia das coisas.

A criança pequena se coloca o tempo todo dentro da história, conversando com ela, fazendo seus comentários. Renato, de quatro anos, contou, enquanto demonstrava com gestos frenéticos: "Era um gigante muito perigoso, muito mesmo, mas eu não tinha medo dele, eu vou lá e derrubo ele no chão assim, olha!". Clara, de seis anos, começou a contar uma história dizendo estas palavras: "É muito longa essa história, muitíssima! É assim de longa!". E depois, no fim da contação, comentou: "Já não era mais assim de longa. Era, mas não é mais. Pronto, acabou".

Do mesmo modo, observamos contadores populares fazendo seus apartes, dizendo o que pensam a respeito da atitude de algum personagem, o que teriam feito em seu lugar, comentários que lembram os que costumam sair da boca das crianças: "É curta essa, viu? Mas é de assombração, tem coragem de escutar?". Ou: "Eles iam de jegue, carroça, né? Porque naquele tempo não tinha essas coisas de internet, o correio era assim, na estrada". Ou ainda: "Aí a noiva orientou todo mundo, as cozinheiras da festa do casamento, ela sabia cozinhar direitinho e tal, né? Porque antigamente mulher mesmo sendo rica aprendia a fazer as prendas domésticas, não era igual hoje em dia que mulher nenhuma, nem rica nem pobre, sabe fazer mais nada!".

Adotar esse "tom" ao contarmos histórias, nos colocando diretamente dentro delas, pode ser profundamente inspirador, ao mesmo tempo em que nos aproxima das crianças. Seguir o movimento do brincar na hora de contar pode nos ensinar muito! Experimentar, descobrir, montar, desmontar, transformar, misturar, desmanchar, recortar, remendar... É a liberdade criadora em presença e inteireza que aproxima a cultura da criança e a cultura popular no fundo rendado da oralidade.

DIÁRIO DE BORDO

Contar brincando e brincar contando

Quanto mais nós, educadores, pudermos olhar nossa prática com os olhos de caleidoscópio das crianças, poetas natas, mais nos aproximaremos delas de fato. Conhecer a linguagem do brincar, e contar histórias imbuídos dessa compreensão, será um salto quântico em nossas rotinas de educação infantil.

Enquanto contava a história do papão "Dom Maracujá", que ouvia na minha infância, percebi que faria muito mais sentido para as crianças brincar com o personagem do grilo de um jeito novo. Então, em vez de narrar essa parte da história como fazia sempre, descrevendo o grilo que descansava tranquilamente sobre uma pedra, disse que havia ali um grilo tranquilo e lancei o desafio: "Quem consegue falar rapidinho: 'grilo tranquilo, grilo tranquilo, grilo tranquilo'?". O recém-criado trava-língua acabou se tornando uma grande brincadeira que enriqueceu a história.

Até que alguém disse: "Mas esse grilo não tá nada tranquilo, né? Por que é que a gente não fala 'grilo tranquilo' mais tranquilo?". E todos começaram a experimentar a tranquilidade do grilo falando o trava-língua em câmera lenta, tranquilamente... Mais tarde, inspirada nos movimentos das próprias crianças, criei uma cena frenética do grilo serrando a barriga do papão, ao que João, de cinco anos, concluiu: "Era um grilo-tranquilo-ninja!".

Contando o mesmo conto em outro momento, surgiu espontaneamente a brincadeira de acrescentar novos personagens fugindo do papão. A princípio havia o pai, a mãe, o filho, um cavalo, um touro e o grilo que salvou todo mundo. Aos poucos a fuga ficou acumulada de leões, rinocerontes, cobras e gorilas. Desde então, costumo deixar a história aberta nessa hora e acolher toda bicharada!

Há muitas formas de se contar histórias brincando. Brincar de estátua no meio de um conto, justamente quando alguma bruxa ou feiticeiro transforma os personagens em pedra, pode tornar tudo ainda mais vivo. Fazer a brincadeira cada vez mais rápido, depois ir desacelerando e convidando as "estátuas" a continuarem ouvindo, pode ser uma alternativa para que todos retornem aos seus lugares e sigam escutando. Brincar de tocar o nariz das crianças, aguardando o som da campainha produzida por eles, sempre que o personagem da história bate na porta de alguém para pedir ajuda, também pode ser um "brinco" muito apreciado e depois ansiosamente esperado pelas crianças.

Certa vez, em uma formação, uma educadora me perguntou bastante preocupada: "Eu tenho medo de brincar e me perder. Às vezes eu deixo as crianças falarem muito durante a história e acabo perdendo o fio... O que você faz quando perde o fio da história?". Respondi: "Eu brinco com as crianças! E pergunto: 'Alguém viu o fio da história por aí? É que eu perdi, quem consegue achar? Vocês me ajudam?'". Ela então concluiu, aliviada: "Ah, é para ser leve...".

Brincar com o conto e com as crianças enquanto contamos histórias cria pontes, vínculos significativos. Para isso, é fundamental mergulhar em nossa espontaneidade, criatividade e liberdade, com profunda leveza. A boca pode estar no pé! Assim como brincadeira de criança, faz de conta. Pode estar nos olhos, na mão, no céu, no chão! A boca canta, a boca cala, a boca fala com o corpo inteiro. Assim, de um jeito brincante brasileiro!

Aprendamos com o povo em seus folguedos e com as crianças em seus brinquedos. O ser brincante não habita apenas as crianças e os artistas populares, mas todo aquele que assim se reconhece e busca estar presente, inventar e reinventar diariamente, seja qual for a sua realidade. É extremamente difícil para um educador que se encontra distante desse "ser brincante" favorecer o movimento de seus alunos, oferecer ferramentas para que experimentem, descubram e se realizem "brincantemente" na primeira infância. Já o educador que vive seu próprio ser brincante narra histórias de modo vivo e significativo, pois compartilha de uma linguagem comum com as crianças e, mesmo que por poucos instantes, suspende o tempo – saltando para o território da alma, mergulhando mais fundo dentro de si.

Deixo aqui o convite para o mergulho. Chamamos de educador brincante aquele que nada no manancial da cultura da criança e da cultura popular, ambas regidas pelo princípio fundamental do brincar, renovando sua prática através dessa experiência. Um educador brincante pode recordar o tempo em que o céu ainda ficava bem perto da terra, reencontrar a criança que foi um dia e convidá-la para estar mais perto, como guia das novas pontes que irá criar.

As brincadeiras na cultura popular e na cultura da criança

Na cultura popular brasileira, uma mesma cantiga pode embalar festejos e também a lida, pois ainda há homens e mulheres que trabalham cantando. Populações rurais, caiçaras e ribeirinhas que mantêm vivos vínculos com os ciclos da natureza e com o modo de produção tradicional de mutirões e de batalhões transformam atividades repetitivas e muitas vezes estafantes em atos leves e prazerosos, ao embalo de histórias, cantigas e versos ritmados, carregados de lirismo e também de muito humor. Há cantos de plantar e de colher, cantos de pisar o barro, de cortar, de forjar, cantos de trançar palha, de pilar, de fiar, cantos de ralar, de peneirar, de debulhar, cantos de celebrar. Os gestos árduos ganham ânimo renovado pela inventividade e pelo compartilhar de memória ancestral, fertilizando o território criativo de cada um dos presentes.

Em 1998, durante uma oficina com Lydia Hortélio, tive o prazer de ouvi-la cantando:

Ô minha gente no balanço do mar
Coqueiro balançô, coqueiro balançá

Com simplicidade o canto me transportou às profundezas do mar. Curiosamente, muitas dessas mulheres que trabalham trançando palha no sertão nunca estiveram no mar. Mas de alguma forma elas o sabem *de cor*, evocam sua cadência, carregam o balanço das águas guardado em algum espaço de sua imaginação, em algum tempo de memória muito antiga, em algum quarto secreto do coração: balanço de mãe que embala o filho, balanço do berço, balanço da rede, balanço de corda pendurado nas árvores, balanço na cadeira contando histórias...

Naquele instante-balanço, reconheci minha voz cantada em profunda alegria de pertencimento. A cantiga trançou um caminho dentro de mim e, desde então, quando conto histórias, costumo cantar muitas dessas pérolas recolhidas no mar da cultura popular brasileira.

Nunca vou esquecer o dia em que de fato entendi, com o corpo inteiro, a proximidade entre a cultura da criança e a cultura popular por meio de duas rodas, variantes de uma mesma brincadeira: o *Candeeiro*. Até então, sabia que cantigas e histórias são gêneros da literatura oral e que, assim como encontramos espalhadas por todos os cantos versões diversas de uma mesma história, podemos também localizar variantes de cantigas e brincadeiras ao redor do Brasil e do mundo. Quem conta um conto aumenta um ponto, quem brinca também.

Quando aprendi as duas variantes do *Candeeiro*, tomei conhecimento de que uma delas pertencia à cultura popular – ao coco de roda, manifestação cultural de Alagoas – e a outra havia sido recolhida no sertão da Bahia e era uma brincadeira tradicional da cultura da criança. Percebi encantada que, de uma forma ou de outra, era o brincar que aproximava as duas variantes.

CANDEEIRO – COCO DE RODA[6]
Anda roda candeeiro, anda à roda sem parar (2x)

---

[6] Comunicação oral: Mestra Hilda, do grupo Pagode Comigo Ninguém Pode. Pesquisa: Elizabeth Menezes.

Todo aquele que errar, com candeeiro há de ficar (2x)
[Ooô!
Candeeiro ô, tá na mão de iôiô, candeeiro á, tá na
[mão de iáiá (2x) Ooô!

De acordo com a atriz, dançarina e educadora Rosane Almeida (s.d., p. 9), o coco é uma manifestação popular, um gênero poético-musical-coreográfico que surgiu no século XVII no Quilombo dos Palmares, em Alagoas. Sua origem está ligada aos cantos de negros, índios e caboclos durante a atividade da quebra do coco. Com o tempo, as palmas com as mãos encovadas começaram a traduzir o ruído natural dos cocos sendo quebrados nas pedras, embalando a dança dos casais dispostos em roda e trocando umbigadas. Ao ficar conhecido fora das senzalas, o coco passou a ser dançado em comunidades rurais. Suas pisadas surgiram a partir de uma atividade comum nessas comunidades: o nivelamento do piso de barro das casas de pau a pique. Ainda hoje o dono da casa costuma fazer uma festa para comemorar o fim da obra e os convidados celebram pisando o barro juntos, cantando, tocando e fazendo a dança de sapateado que amassa o chão da casa. No final do século XIX o coco chegou aos salões da sociedade alagoana, assimilando também elementos das danças europeias.

O *Candeeiro* recolhido em Alagoas é iniciado com os pares andando na roda de braços dados, em uma espécie de valsinha ao modo europeu, enquanto uma pessoa leva um candeeiro aceso ao centro da formação. Com o primeiro *Ooô*, a valsa se desmonta e a brincadeira se torna folia em ritmo de coco. Todos saem dançando coco de roda, enquanto o candeeiro vai passando de mão em mão. Lembrando a tradicional dança da vassoura, aquele que sobrar com o candeeiro no fim da cantiga, com o segundo *Ooô*, vai ao centro para que tudo se inicie mais uma vez.

CANDEEIRO – RODA – SERRINHA, BAHIA[7]
Candeeiro anda à roda, anda à roda sem parar
Todo aquele que errar, candeeiro há de ficar
Paspatu, paspará, candeeiro sinhá
Eu não sou de ninguém, eu só sou de meu bem
Paspatu, paspará, candeeiro sinhá!

Na variante baiana, como brincadeira tradicional da infância, uma criança no centro da roda é o candeeiro, enquanto as outras rodam ao redor dela e, ao final, quando dizem "paspatu, paspará", saem do lugar à procura de um par. Há uma pequena parada para ver quem sobrou e a criança que iniciou ao centro da roda, cantando "candeeiro sinhá", saúda aquela que a substituirá na sequência.

Depois do meu primeiro encantamento com as rodas do *Candeeiro*, comecei a buscar e descobrir outras brincadeiras que encontravam versões tanto na cultura popular como na cultura da criança, como também variantes de cantigas que aparecem tanto na lida, como cantos de trabalho, quanto nas festas. Fui percebendo como a linguagem do brincar ultrapassa fronteiras: nasce com a criança e cresce com o povo, manifesta a alegria das festas e também traz leveza para as atividades do dia a dia. Este é o grande aprendizado que venho recordando através do brincar.

---
[7] CD "Ô, bela Alice". Pesquisa e direção: Lydia Hortélio, 2004.

PALAVRA DE CRIANÇA

Alguns autores me auxiliaram a olhar a criança do ponto de vista da criança, o que é fundamental quando contamos histórias. São escritores e poetas que imprimiram em sua linguagem escrita construções próximas à oralidade brasileira, utilizando vocabulário coloquial e criando palavras novas, neologismos bem à moda das crianças e da fala popular. Não no sentido de meramente reproduzir a linguagem do povo, mas de recriar o mundo a partir do brincar: a palavra "brincante".

Lendo a prosa de Guimarães Rosa ou a poesia de Manoel de Barros, sinto-me mergulhando em um ritmo próximo ao da infância e da dança dos folguedos. Eu lembro que a primeira vez que me sentei para ler *Grande sertão: veredas*, ainda adolescente, fiquei um bom tempo sem entender nada, literalmente brigando com as palavras – não conseguia passar da primeira página. Então intuitivamente comecei a falar o texto em voz alta e tudo fez absoluto sentido, as palavras começaram a dançar em outra lógica coreográfica e me preencheram com uma espécie de imaginação auditiva, outra via de experimentar o mundo.

Clara, aos seis anos, inventando uma história, falou: "A menina encontrou um monte de pássaros 'azulejantes'". Acho que os pássaros dela conversam com os de Manoel de Barros e os de Guimarães Rosa... Explorar a palavra "brincante" é estar mais perto do ser poético em suas origens, da beleza guardada nas raízes da fala. ∎

HISTÓRIAS DE BOCA E HISTÓRIAS DE LIVRO
Diferenças entre contar e ler

> *A metáfora é um meio de provocar no outro um sentimento que se aproxime do nosso, de criar um vaso comunicante no outro para aquilo que nos transborda.*
>
> Sergio Perazzo

As histórias podem ser lidas ou contadas "de boca", como dizem as próprias crianças e os contadores populares. É importante deixar claro que ler não é melhor que contar, e contar não é melhor que ler; são duas formas diferentes de trabalho com a linguagem, cada uma delas guarda qualidades próprias, e ambas podem igualmente fazer parte da ação do educador.

Ler histórias é importante para valorizar a ação da leitura e o suporte, o objeto livro, bem cultural que guarda a literatura. O livro presente desperta o interesse das crianças em saber de onde vêm as palavras, de onde vem a história que as envolve na voz do leitor. A criança vê o adulto lendo o escrito. O leitor, por sua vez, tem um compromisso com o texto, ele lê as palavras do autor, valorizando a linguagem literária, saboreando e respeitando sua construção e suas particularidades, já que uma das funções da escrita é registrar um texto, em seu conteúdo e forma. O leitor está sujeito às leis da escrita, mas ao mesmo tempo oferece o seu testemunho, deixando sua marca interpretativa, uma vez que o texto também conversa com ele.

A leitura em voz alta é um convite ao leitor em formação. A presença do texto escrito estabelece uma triangulação entre o leitor, o livro e a audiência, uma triangulação essencial na mediação de leitura, despertando na criança o desejo de um dia também ler um livro.

O leitor pode apontar às crianças o autor do texto, o escritor que reconta a história popular ou mesmo o pesquisador que recolheu e registrou o conto, mantendo as palavras do povo. Ele pode contar onde a história foi recolhida, comentar por que escolheu tal conto e apresentar o livro como objeto a ser sentido e manuseado pelas crianças.

No caso de livros ilustrados, cabe ao leitor despertar a apreciação das crianças para as figuras, salientando como aquele que ilustrou também está contando a história ao seu modo. Isso envolve a compreensão do livro como objeto de arte, desde a capa até a última página; tudo é história, tudo se relaciona nesse objeto, provocando experiências estéticas. Não podemos perder de vista que as ilustrações em si mesmas atraem o olhar das crianças, sem que nada precise ser dito ou explicado por parte do leitor.

Por sua vez, a experiência de contar histórias "de boca" imprime uma qualidade diferente de relação com a audiência, estabelecendo maior contato visual com as crianças. Além disso, favorece a exploração de recursos externos e a possibilidade de agregar outros elementos ao conto, como objetos cênicos, cantigas, música etc. Envolve a experiência de se deixar guiar pela história, o exercício de improvisação por parte do contador, um exercício próprio ao universo da linguagem oral. As crianças inclusive parecem saber disso, pois costumam associar as histórias de boca às histórias contadas sem o livro, criadas ou imaginadas pelos contadores, quando pedem "conta uma de boca, uma inventada?".

Contar histórias de boca resgata, atualiza e perpetua a tradição milenar das narrativas orais. O contador compartilha histórias que ouviu, histórias que viveu, histórias que guardou em seu coração. Quando o livro não está no centro da experiência, a criança localiza a autoridade da narrativa no outro diante dela: o contador, o educador.

Muitos educadores utilizam livros mais como apoio para contar do que pela experiência que a leitura oferece. Alguns sentem insegurança ao contar "de cabeça", como costumam dizer. Outros ficam com medo de não conseguir manter a atenção das crianças se não mostrarem figuras a elas. Nesse caso, seria interessante inverter o pensamento: em primeiro lugar, é essencial que o educador coloque sua própria atenção no conto, buscando enxergá-lo cena por cena, e então, se o olhar do educador não estiver "preso" às páginas do livro, poderá se voltar às crianças, incorporando tudo o que brotar delas ao espaço da história. Juntos irão assistir, cada um em sua própria "tela", às imagens particulares daquela mesma narrativa.

O contador de histórias de boca pode se valer de vários recursos expressivos tão instigantes quanto as figuras do livro: olhares, gestos, silêncios, surpresas, vozes próprias a cada personagem, cantigas, enfim. Mas o contador pode principalmente acolher as reações e todo o material vivo que jorra intensamente das crianças, tirando partido dessa participação e, com certo jogo de cintura, trazendo-a para dentro da narrativa.

Contando histórias de boca para as crianças é possível perceber o que acontece quando procuramos compartilhar seu universo. A história não é feita, ela nasce ali, no instante de convivência; as crianças vão guiando o contador e devolvem a ele o conto ainda mais vivo. Nesse caso, quando as histórias são contadas, o que importa não é o livro, mas o que se vive através dos contos, o encontro que vai sendo tecido a partir do imaginário das crianças, entrelaçado ao do contador.

Algumas palavras da contadora de histórias catarinense Gilka Girardello:

> Nos espaços abertos pela ausência da fidelidade literal ao texto escrito, a professora-narradora tende a inserir sua autoria, que só se realiza pela presença das crianças que a assistem e em função do que a professora sabe ou intui do que elas são. Essa franca mediação entre o texto escrito e as crianças de carne e osso sopra vida à história, e ao fazê-lo infla também um espaço onde as crianças são convidadas a entrar. (2007, p. 4)

Certa vez, antes de dormir, Matias, de cinco anos, pediu que sua mãe lhe contasse uma história e, vendo que ela pegava um livro ilustrado, ele disse: "Não, mãe, eu não quero história de livro, eu quero história de boca!". Um pedido como esse revela a necessidade vital de as crianças entrarem em contato com as próprias imagens. Por meio da experiência de ouvir uma história de boca, as histórias assumem o tamanho da imaginação de uma criança.

Muitas vezes, quando utilizamos um livro para contar histórias, uma espécie de desordem inicial se instaura. Algumas falas são recorrentes:

– *Eu quero ver!*
– *Sai da frente! Eu não estou vendo nada.*
– *Eu sentei aqui primeiro!*
– *Eu quero ficar no seu colo.*
– *Não! Eu falei primeiro que queria sentar no seu colo!*
– *Eu sou a princesa.*
– *É nada, a princesa sou eu!*

A cada página virada, o desejo de ouvir a história se confunde com a necessidade de ver as ilustrações. Por outro lado, as histórias de boca auxiliam a criação de uma harmonia circular, as crianças espontaneamente se ordenam e, nesse "espaço de boca aberta", as fantasias de cada uma delas vão sendo projetadas. As meninas podem brigar pela princesa que está lá do lado de fora, na ilustração do livro, mas é mais fácil que entrem em um acordo quando cada uma "acordar" a sua própria imagem interna de princesa através da história de boca.

Não há dúvida de que existem belas ilustrações de livros a serem apreciadas, mas é importante que na primeira infância as crianças também evoquem imagens na ausência de figuras, a partir apenas das palavras ouvidas.

Observamos que muitas vezes a criança pequena quer simplesmente brincar com o livro, impedindo que o contador leia o conto para ela naquele momento. Nesse caso, a oralidade predomina através do suporte, torna-se mais significativo para a criança folheá-lo enquanto conta a *sua história* em voz alta, inventando a partir das ilustrações, recriando para si mesma, para o educador e também para os amigos: o livro é o seu brinquedo.

Muitos educadores acreditam que a formação de leitores se encontra única e exclusivamente ligada ao uso do livro, e as histórias de boca também têm papel importante nesse processo. Outros minimizam o contar "de boca", considerando-o mera ferramenta para estimular a leitura, sendo este apenas um dos múltiplos aspectos favorecidos por essa arte.

A experiência da criança que ouve histórias de boca envolve muitas outras dimensões além do estímulo à leitura, mas certamente pode-se dizer que o enriquecimento da linguagem e da imaginação favorece também o gosto pelos livros. Muitas vezes, a arte de contar "de boca" reverbera tanto na criança que ela acaba procurando um livro em que possa encontrar novamente aquele conto a fim de reviver a experiência significativa que teve ao ouvi-lo.

Venho observando como a criança que ouve frequentemente histórias de boca tem muito mais facilidade, autonomia e criatividade na hora de escrever suas próprias histórias. Ela sabe como caminhar dentro do texto escrito porque a história já foi brincada dentro dela. Apresenta, inclusive, grande riqueza de vocabulário, pois, ouvindo histórias, as crianças estão sempre aprendendo palavras novas, em contexto significativo.

Observo também que a capacidade que a criança tem de recontar uma história de boca, recuperando detalhes precisos e toda a sequência narrativa, é visivelmente maior que a sua capacidade de recontar uma história que tenha sido lida para ela. Talvez porque a criança pequena esteja mais próxima da linguagem oral do que de sua competência leitora. Acredito que, como um embrião da espécie humana, ela irá, nos primeiros anos de vida, refazer o trajeto percorrido pelo homem, partindo da linguagem oral para a escrita, quando então o livro ganhará um novo e fascinante sentido: a descoberta da leitura autônoma.

É sempre interessante que o educador alterne as duas formas: conte "de boca" e leia histórias. Desse modo estará ampliando as possibilidades de aprendizagem da criança e também as suas. No entanto, ambas as formas podem ser esvaziadas de sentido se o contador ou leitor não estiver dentro da história, em inteireza e presença.

DIÁRIO DE BORDO

As imagens da história na boca das crianças

A seguinte experiência relacionada ao conto "O espelho mágico", recolhido por Câmara Cascudo (2001), exemplifica a riqueza daquilo que pode vir a brotar a partir do imaginário das crianças na relação com a história contada de boca.

O espelho mágico
Um rapaz órfão sai pelo mundo para ganhar a vida e ajuda quatro animais no caminho: uma formiga, um carneiro, um peixe e um pássaro. Mais tarde, recebe ajuda deles, chamando cada animal na forma como haviam ensinado: "Valha-me o rei dos...".
O rapaz precisava se esconder do espelho mágico da princesa, que tudo via entre o céu e a terra, para ganhar a mão dela em casamento. Acontece que ele falhou nas três primeiras tentativas, auxiliado pelo rei dos carneiros, o rei dos peixes e o rei dos pássaros. Finalmente, o rei das formigas revela o segredo: o espelho enxergava qualquer coisa, menos a própria princesa. Então o rei das formigas transforma o rapaz em uma formiguinha e ele se esconde na bainha da camisa dela, vencendo a tarefa.

Contei certa vez essa história a um grupo de crianças e, ao longo do conto, eles adoraram gritar em voz alta e com os braços estendidos para cima o "Valha-me o rei dos...", a fim de chamar os animais que ajudariam o rapaz. Ao final, todos ficaram muito tempo envolvidos com a cena em que o rapaz se transforma em formiga e se deliciaram assumindo a perspectiva da formiguinha.

O exercício de imaginação foi riquíssimo. Bastou eu perguntar "Como será que o menino-formiga via o mundo?", e eles começaram a descrever as dimensões gigantescas que as coisas iam assumindo sob o novo olhar do rapaz: a vegetação da floresta, os pés das pessoas quase pisando a formiguinha, a escadaria sem fim da entrada do palácio, a escadaria vermelha em caracol de dentro do palácio (e alguém gritou: "Valha-me o rei das escadas!"), a porta imensa de madeira escura do quarto da princesa, a fechadura dourada em forma de túnel por onde passou a formiga ("Valha-me o rei das fechaduras!"), o tapete felpudo entre a porta e a cama da princesa que se tornou um labirinto gigantesco de cores onde a formiga se perdeu ("Valha-me o rei dos tapetes!"), o chinelo da princesa engolindo a formiguinha ("Valha-me o rei dos chinelos!"), o pé dela quase esmagando o rapaz ("Só o dedão do pé da princesa já era muito maior do que qualquer formiga", disse uma criança), a princesa sentindo cócegas e o rapaz-formiga desviando das mãos dela, escondendo-se no umbigo ("Valha-me o rei dos umbigos!") e no sovaco ("Não é sovaco, é axila, as princesas têm axila", disse alguém), no buraco do nariz, a princesa espirrando e atirando o menino encolhido bem na barra de sua saia (as meninas acharam estranho falar "bainha da camisa", como no texto popular, e então preferiram "barra da saia").

Estes foram desdobramentos do que inicialmente seria apenas o "Dito e feito. O rapaz virou formiga, entrou no palácio, foi ao quarto da princesa e subiu pelo vestido acima, bem devagar para ela não pressentir, e escondeu-se na bainha da camisa..."

Da boca para o livro, do livro para a boca...

"Maria Sabida e João do Uia" é minha primeira "história de boca" que virou "história de livro". Tudo começou com o conto "A princesa que sempre queria ter a última palavra", história de boca da tradição oral norueguesa, organizada em uma antologia por Francis Henrik Aubert, a partir do trabalho de Christen Asbjørnsen e Jørgen Moe. Li o conto e imediatamente fiquei cativada pelo humor que percorre a narrativa: o gênio forte da princesa e a alma brincante do herói Askeladden.

Contei a história de boca aos meus alunos, batizando o herói como João e a princesa como Maria. Ela era metida a saber tudo e João era um moço com fama de bobo, que resolve enfrentar um duelo de boca para se casar com ela. O desafio? Calar Maria Sabida por um minuto. Mas quem tentasse e falhasse teria a orelha marcada com ferro em brasa. Usei um leque espanhol para caracterizar a Maria com um temperamento flamenco, mas logo as crianças disseram que "ela era muito calorenta, né?", atributo da princesa que acabei incorporando também. Depois disso, segui acompanhando o movimento espontâneo das crianças que passaram a brincar seu faz de conta partindo daquela escuta. O conto logo se transformou em uma "história brincada", como costumo chamar o estilo de faz de conta que abordaremos melhor no próximo capítulo. Inicialmente Yasmim e Ananda, com cinco anos, experimentaram todos os papéis em um harmonioso revezamento de personagens. E aos poucos, a brincadeira delas foi agregando outras crianças até que, num piscar de olhos, a turma toda foi contagiada! Assim foram nascendo novos personagens: os marcadores reais de orelha, meio "bobos da corte" que adoravam "roubar" o leque da princesa e saiam correndo com ele, transformando a brincadeira em pega-pega; os mensageiros reais e suas "montarias", bichos dos mais diversos tipos que levavam os mensageiros aos quatro cantos do reino; os pretendentes que faziam fila para ver quem berrava mais alto ao ter sua orelha marcada; as "abanadeiras", meninas mais novas que abanavam freneticamente a princesa com seus leques. Enfim, papéis inventados por mim e pelos próprios alunos para que todos pudessem participar.

Cada vez mais fui absorvendo a linguagem das crianças e transpondo o imaginário norueguês para o universo brincante brasileiro. O nome João do Uia foi dado por elas. Bastou ouvirem uma vez da minha boca a expressão "uia", para brincarem caminhando no papel de João, apontando para tudo que encontravam e dizendo "Uia! Uia!". Mais tarde essa caminhada foi descrita como "anda que anda que anda que anda", texto que antes de virar livro foi brincado muitas e muitas vezes em andanças de mil "Uias".

"Maria Sabida e João do Uia" é um ótimo exemplo da rica conversa entre histórias de boca e histórias de livro: uma história tradicional norueguesa transformada em antologia, que muito tempo depois virou história brasileira de boca e logo história brincada, que novamente renasceu como história de livro com ressonâncias de "uia" na boca de quem continuar contando...

HISTÓRIAS BRINCADAS
Quando o conto desemboca em faz de conta

> *O que é o que é: uma coisa que não tem pé nem cabeça, mas tem REFLÉXICO? É a água! Ela é um espelho...*
>
> Dora, cinco anos

Quando contamos histórias às crianças, é interessante observar suas interações, o pedido de "mais uma" ou "de novo", e então ampliar, acolher novos rumos. Assim, as histórias brincadas vão surgindo espontaneamente e o educador vai aprendendo a "pegar carona" no movimento das crianças: *elas* devem ser as guias, espelhando histórias no fluxo de suas brincadeiras.

É preciso sempre deixar claro que a experiência de ouvir histórias já se completa em si mesma. Não se trata de contar um conto com a finalidade de propor alguma brincadeira, um desenho ou uma dramatização. Muitos educadores ainda ficam incomodados se não propuserem alguma atividade depois de ler ou contar uma história.

Em seu movimento natural, as crianças trazem elementos dos contos em suas brincadeiras, mas não necessariamente acabarão brincando toda vez que uma história for contada. De qualquer forma, é fundamental que o educador desenvolva uma escuta sensível para as narrativas das crianças e as brincadeiras que emergem a partir da experiência de ouvir histórias.

As histórias brincadas são as dramatizações da primeira infância. Neste tipo de brincadeira não existe a preocupação adulta de apresentar uma peça ensaiada, mas o puro exercício de brincar de faz de conta, experimentando os diversos personagens, usando fantasias, dançando, cantando, trocando com o outro, internalizando possibilidades e lidando com os limites que cada um deles oferece. Enquanto brincam, uma realidade mais profunda vai sendo revelada em um tempo e espaço com leis distintas daquelas que regem o mundo adulto. A criança vai se conhecendo ao viver de corpo inteiro todas as ações que sua imaginação lhe propõe como fatos reais em suas brincadeiras.

Segundo Joseph Pearce, a criança pequena não tem capacidade para considerar as noções adultas de mundo da fantasia e mundo real. Ela só conhece um mundo, justamente o seu mundo real, no qual e com o qual brinca em toda a sua fantasia. Nas palavras do autor, para a criança que brinca "a hora é sempre agora; o lugar, o aqui; a ação, o eu" (PEARCE, 1989, p. 181).

Nessas dramatizações, as crianças não estão preocupadas em se apresentar para um público. Elas aprendem sendo o próprio personagem ou se relacionando com os personagens que projetam na figura dos educadores. E são contadoras de histórias natas!

Observar o faz de conta da criança pequena pode ser uma grande escola para o educador contador. Muitos debates adultos em relação às diferenças e limites entre o teatro e a arte de contar cairiam por terra se pudéssemos aprender com as crianças a percorrer brincando esses universos, a transitar na justa e espontânea medida entre eles. A criança conta e dramatiza, brincando suas histórias.

Como escreveu o educador inglês Peter Slade, é preciso considerar a diferença entre o que a criança faz na realidade e o que nós, adultos, entendemos por teatro – no palco de suas brincadeiras, cada criança "é tanto ator como auditório" (1978, p. 18). O jogo dramático infantil é, na verdade, a vida, a maneira de pensar, relaxar, trabalhar, lembrar, ousar, criar; é uma forma de arte por direito próprio e deve ser reconhecida, respeitada, alimentada.

A ação dramática da criança tem lugar por toda parte e no universo da primeira infância não existe a questão de quem deve representar para quem e quem deve ficar sentado vendo quem fazendo o quê.

É interessante existir em sala de aula um espaço reservado às fantasias de faz de conta. Não aquelas que reproduzem personagens de desenhos animados, mas as que tenham elementos que favoreçam a criação livre de personagens. Um cesto ou baú com diversos tipos de tecidos, dentre eles tules de várias cores, pedaços de chita, capas brilhantes, saias rodadas, vestidos, macacões coloridos, coletes etc. E também adereços pendurados na altura das crianças, como tiaras de flores, coroas de reis e rainhas, asas de fadas, chapéus de bruxas e de palhaços, cocares de índios, colares longos, lenços, xales, entre outros.

É importante que o educador siga o movimento dos alunos, brincando as histórias junto com eles. Ele pode inclusive perguntar às crianças qual o seu papel na brincadeira, deixando que elas escolham o personagem e o componham com fantasias. Histórias brincadas envolvem troca intuitiva entre o professor e os alunos, e entre uma criança e outra quando brincam juntas.

> **PALAVRA DE CRIANÇA**
>
> Um dia, enquanto brincava de nascer com vários alunos, cada um coberto por um pano, eles me explicaram: "A gente quer que você ache que os meninos eram ovos-menino e as meninas, ovos-menina". Então, tolamente, eu comecei a perguntar a um dos ovos-menino: "Você é um ovo-menino?". Silêncio. Insisti: "Você é um ovo-menino?". Nada. Eu disse: "Ih, não sei se é um ovo-menino". Irritado, o ovo respondeu: "Psiu! Ovos não falam!". Eu não aguentei e caí na gargalhada. Contrariado, ele se descobriu, colocou o rosto para fora do pano e disse: "Para, assim você vai fazer a gente passar vergonha...".
> Percebi como havia sido invasiva! Tratava-se de um momento sério, de pura intimidade. Pedi desculpas e continuamos. Esse episódio apenas confirmou como tantas vezes desrespeitamos as experiências profundas de uma criança. "Para! Assim você faz a gente não se concentrar, você faz a gente risar", disse Maria Clara, de cinco anos.
> É preciso lapidar sempre nossa sensibilidade e atitudes diante das crianças, para não mais julgarmos o universo infantil a partir da visão pejorativa e reducionista da "brincadeirinha de criança", ou "historinha de criança", ou mesmo "escolinha de criança". Muitas histórias brincadas guardam qualidades míticas. Como brincadeiras-ritos envolvem profundos aprendizados, acessando camadas internas particulares é, ao mesmo tempo, universais. ∎

Imersos em seu universo, podemos sentir que tudo está reunido, interligado, tudo pode aflorar através de vínculos absurdos, intensos, estranhos ou tão simples como uma história de criança. E em uma simples história de criança há espaço para vínculos absurdos, intensos, amedrontadores, engraçados e muito mais!

Os educadores devem se entregar à brincadeira com as crianças, intervindo o mínimo possível, deixando ao máximo que resolvam seus conflitos por elas mesmas e mediando apenas quando isso não for possível.

O educador também não pode esquecer que é referência para as crianças, servindo como um modelo que mais cedo ou mais tarde será imitado. Desse modo, o educador está sempre ensinando sem palavras, e é fundamental que se conscientize disso a fim de buscar desempenhar o seu melhor papel diante das crianças. Esse ensinamento pode vir a ser muito mais eficaz do que qualquer discurso. Quantas e quantas vezes pais e educadores não falam uma coisa e na prática acabam fazendo outra? Se quisermos ser bons exemplos, é preciso ter coerência entre palavras e ações.

Nas histórias brincadas pelas crianças é possível identificar repertórios pessoais e coletivos, ou seja, a criança como contadora de suas histórias de vida e também se apropriando de imagens e fragmentos dos contos tradicionais ouvidos. É como se o imaginário dos contos conversasse com o imaginário pessoal e, do casamento perfeito entre eles, nascesse esse tipo de brincadeira de faz de conta.

Jung traz uma definição bastante esclarecedora de símbolo: "uma imagem que descreve da melhor maneira possível a natureza do espírito obscuramente pressentida" (2000, p. 278). Pode-se dizer que as histórias são verdadeiros guias da dimensão simbólica, pois a criança reconhece essas estruturas fundamentais e se identifica com elas. O espírito da criança pressente e os contos vêm ao encontro dele, como fontes poderosas de imagens internas. Daí a grande importância das histórias brincadas que brotam nessa primeira infância; elas são referências para que as crianças entrem em contato com seus repertórios internos e, uma vez elaborado esse roteiro próprio, saltos de crescimento vão sendo dados.

Nas palavras de Maria Amélia Pereira, "O brincar nasce no corpo, e o corpo é natureza. A criança, antes de ser intelecto, é instinto, é sensação. Seus sentidos são portadores de uma sabedoria que ajuda a estruturar sua relação no mundo" (2013, p. 54).

O primeiro instinto humano a se revelar é o da sobrevivência, e as crianças em sua primeira infância estão diretamente ligadas ao exercício dessa força instintiva. No princípio, as brincadeiras refletem esses movimentos; as crianças são ativadas em sua vontade de viver, em sua vontade de crescer. O vocabulário corporal da criança pequena envolve, entre outros, os verbos caminhar, correr, subir, descer, escalar, escorregar, tropeçar, cair, levantar, esconder, pegar, jogar, rolar, abraçar: o corpo é sua fala. Nesse sentido, o espaço aberto na natureza torna-se fundamental enquanto território propício para a narrativa do brincar. Lydia Hortélio sempre reforça em suas oficinas que "a substância do brincar é a alegria e a natureza é seu território primordial".

As brincadeiras tradicionais de pega-pega e esconde-esconde, por exemplo, estão diretamente ligadas ao exercício do instinto de sobrevivência, a essa primeira pulsão de vida. Através da própria brincadeira a criança vai internalizar os limites, vai aprender qual a extensão de seu espaço e onde começa o espaço do outro; ela vai o tempo todo se confrontar com aquilo que a limita, para assim poder evoluir.

O mesmo também se estende às brincadeiras de faz de conta. A natureza é o grande cenário onde a imaginação cria desertos, mares, castelos, torres, esconderijos, labirintos, armadilhas, pontes. Com cantos a descobrir, árvores para subir, diversidade a conhecer, os espaços abertos favorecem e acolhem as narrativas brincadas pelas crianças. Brincando ela vai projetando no mundo a imensa riqueza do seu mundo interno, traços que tem a marca de sua própria história, mas também guardam registros de um imaginário coletivo.

A natureza em si mesma revela esse imaginário universal, é um reservatório de temas fundamentais da alma humana, tais como: mãe, proteção, ninho, vida, morte, abismo, voo, calor, frio, noite, medo, obstáculo, mistério, aventura. Como pontuou com clareza o pesquisador Gandhy Piorski nas videoconferências "Criança e Natureza"[8]: "A materialidade do mundo natural é capaz de irradiar no corpo da criança um reconhecimento". A paisagem de fora é da mesma natureza da paisagem de dentro, nós somos natureza!

Para o educador mineiro Adelsin, os quintais deveriam constar nos direitos da infância. "Toda criança tem direito a um quintal!", ele costuma dizer em suas formações. Muitas escolas infelizmente não contam com esse espaço de natureza, mas outras tantas, mesmo tendo áreas livres com árvores, acabam não favorecendo o uso desse território pelos alunos por considerarem esse tipo de brincadeira muito perigosa.

---

8 Série "Diálogos do Brincar", uma realização do Território do Brincar e Instituto Alana, 2016.

Quanto mais o brincar for nutrido e respeitado nas escolas, quanto mais espaço para esse faz de conta tiverem as crianças, mais personagens poderão desfilar como em um conto de fadas: bailarinas, palhaços, princesas, bruxas, animais, índios, cavaleiros poderão se integrar, ora harmoniosamente, ora em conflito, aos enredos criados e recriados por elas.

O dinamismo das histórias brincadas está em sempre ultrapassar o conhecido em direção ao desconhecido, explorar o novo, fazendo uso da capacidade de imaginação como agente determinante do processo criador.

É possível observar isso nas mais diversas formas. Mais comumente nas brincadeiras dos meninos, pode-se notar a presença de imagens coletivas encarnadas nas figuras de um rei, príncipe, caçador, índio, guerreiro, cavaleiro, super-herói, pirata etc. Brincando histórias, os meninos saem para explorar o mundo, em busca de lobisomens, dragões e outros perigos.

Eles também podem assumir o papel de bichos (cães, cavalos, águias, morcegos, tigres, tubarões), muitas vezes animais guardiões com conhecimentos mágicos. Podem ser médicos curadores socorrendo princesas desmaiadas, por exemplo, o que não deixa de ser uma segunda instância dos primeiros animais guardiões. E também palhaços, com sua louca sabedoria! Assim vão se apropriando do repertório das histórias e direcionando sua força instintiva, interagindo e conhecendo o mundo a partir de uma linguagem corporal e sensorial. A luta física e os "duelos" entre meninos podem ser frequentes, tornando indispensável a observação sensível dos educadores a fim de garantir que essa força inerente ao princípio masculino não estrapole o faz de conta e, por vezes, seja canalizada em outras brincadeiras ativas.

No caso das meninas também é possível observar formas próprias de exercitarem esse movimento de provocação, ataque, fuga e defesa nas brincadeiras de faz de conta. Projetando muitas vezes nos educadores a figura da bruxa má, por exemplo, as meninas estão exercitando a mesma pulsão descrita nas brincadeiras dos meninos, mas de outro modo. Elas configuram o inimigo, a força limitadora, para depois confrontá-la. Nessa hora, colocam-se face a face com a figura ameaçadora, explicitando seus sentimentos, expressando verbalmente suas emoções. A necessidade da bruxa aparece justamente nos momentos em que precisam se centrar, organizando-se internamente, enfrentando o aspecto amedrontador para finalmente perderem o medo dele.

Vale ressaltar que meninos também brincam de enfrentar bruxas más, bem como as meninas muitas vezes assumem o papel de guerreiros, caçadores, animais, palhaços etc.

Entre danças, desmaios e despertares, em meio ao mistério e à alegria, contagiadas pelo medo e pela coragem, as crianças seguem sua caminhada heroica. A cada conquista, novos desafios serão projetados na eterna aventura humana.

> **PALAVRA DE CRIANÇA**
>
> Certa vez, Luca, de três anos, estava brincando em uma cabana construída com tecidos e pregadores de roupa e pediu ajuda para tampar também a frente da cabana com um pano, servindo de cortina. Então ele falou: "Pronto, caiu o teatro! Eu sou o contador de histórias. Era uma vez...". Um pouco mais tarde, em meio ao enredo da história que contava, ele saiu da toca, pegou seu cavalo de pau e partiu galopando:

> "Vou pra batalha!". O contador virou personagem vivo do conto narrado.
>
> E as crianças pedem "de novo" e "de novo" e "de novo"! Frederico, de quatro anos, disse: "Vamos fazer de novo aquele teatro? As meninas dançando, eu fiquei tão maravilhoso!". Maria Clara, de cinco anos, pediu: "Vamos brincar de novo o teatro? Sabe, eu já tô até perdendo o jeito de tanto a gente não fazer...". ■

Brincando histórias, as crianças estão sempre abrindo e fechando cortinas, ultrapassando véus. Elas transitam com muita liberdade entre a fantasia e a realidade, já que para elas há uma linha tênue, sem paredes, entre os dois universos.

As crianças ainda conseguem enxergar através dos cortinados, e atravessam essas portas com maestria. Mas a comunicação entre os mundos se fecha quando crescemos e começamos a acreditar que as portas não existem. Nas palavras de Adelsin: "Um dia, passado o susto de estar adulto, a gente descobre, outra vez, a maravilha de brincar" (2008, p. 3). Esta descoberta se dá no convívio com as crianças, *elas* nos guiam até lá.

Nas histórias brincadas, as crianças mergulham na mais profunda terapia intensiva e nos ensinam que estamos aqui para aprender sempre. Para elas, o mundo é um teatro e a substância dos contos se manifesta a todo instante. O maior aprendizado acontece sem que a criança tenha a consciência de estar aprendendo, ela aprende simplesmente porque brinca.

Na primeira infância é muito importante que o educador não engesse o movimento dos alunos, ensaiando repertórios para apresentar. Quando a vontade de mostrar o teatro para os amigos é uma iniciativa que parte das próprias crianças, elas mesmas se alternam nas funções de brincar e de assistir. Nesse caso, o educador pode mediar os grupos ou participar, colocando-se como mais um que brinca ou mais um que assiste. Mesmo assim, na maior parte das vezes não há plateia, uma vez que todas as crianças participam da brincadeira. Ensaiar, ou fazer para apresentar, é *a priori* uma preocupação do adulto, e ao educador cabe fundamentalmente brincar com elas.

Do mesmo modo, valeria reconsiderar as apresentações comumente organizadas com crianças pequenas para datas comemorativas, como o Dia das Mães, Dia dos Pais, Dia da Família, as festas de encerramento de ciclos etc. Mais significativo seria que, em vez de ficarem sentados assistindo ao que foi ensaiado, os adultos também brincassem com as crianças nesses encontros, renovando juntos o "maravilhamento", pois para a criança pequena a maravilha se encontra no instante da brincadeira, não na reprodução dele.

Um educador brincante é aquele que também ficou maravilhoso, surpreendido e capturado por este universo, e então vai buscar recursos para não perder o jeito, para melhor acompanhar o movimento dos alunos, ampliando seu repertório de contos, cantigas e brincadeiras tradicionais, mas principalmente voltando seu olhar para a criança, fonte inesgotável de maravilhas.

DIÁRIO DE BORDO

A voz das crianças nas histórias brincadas

No movimento espontâneo da oralidade, são múltiplas as formas com que as crianças vão brincando os contos. Venho observando ao longo dos anos como as histórias vão sendo contadas, recontadas, desmanchadas, recortadas e emendadas pelas crianças.

Uma vez, a partir de um conto muito conhecido por eles, meus alunos propuseram um novo roteiro. Imediatamente foram definindo as modificações, antecipando como seria cada nova parte da história, e então disseram: "Pronto, agora conta". Ou seja, houve um planejamento, uma proposta de mudança que partiu deles, diferente das modificações que são consequência do processo de escuta de um conto.

Naquela manhã fui embora com a nítida sensação de que precisava aprender muito, muito mais. Era necessário entender como toda criança é um sistema aberto; como toda história, mesmo que repita um ciclo, é também um sistema aberto.

Em outro dia, enquanto eu brincava com várias crianças de eu ser a mãe e eles, os filhos bebês, um aluno pediu: "Vamos brincar de Rapunzel bem na hora que a bruxa rouba o bebê?". Nesse instante, Jéssica, de cinco anos, encarnou a bruxa. Na maior parte das vezes, as crianças pequenas projetam em nós, adultos, essas figuras amedrontadoras, mas essa menina, que já tinha brincado inúmeras vezes de me enfrentar quando eu era bruxa, naquele dia assumiu a personagem malvada.

No papel de mãe, tentei ludibriar a bruxa oferecendo pedras preciosas, doces ou brinquedos no lugar dos meus filhos, mas ela não aceitou. Então, um dos meninos ofereceu veneno a ela e reconheci aí o mito indígena em que um indiozinho oferece veneno às cobras em troca da noite que elas haviam roubado da aldeia, história que eu já havia contado a eles. Outro filho se tornou o vento e soprou a bruxa para expulsá-la, sem sucesso. Uma das filhinhas pequenas sugeriu dar a tosse dela para afastar a bruxa, e nada. A bruxa não queria saber de conversa, ela queria os bebês.

Depois de várias tentativas, Jéssica no papel de bruxa ficou um pouco cansada e então me contou em segredo que o jeito de matá-la era com a pedra azul do fundo da barriga da baleia, sendo o interior da barriga outra imagem coletiva recorrente. Fomos para a baleia na brincadeira e ficamos procurando, até que um dos filhos trouxe um pregador azul, que era a tal pedra, e encostou o pregador na testa da bruxa. Ela desmaiou na hora. Desmaios também são comuns nas histórias brincadas, as crianças desmaiam para nascerem de novo transformadas.

Dito e feito. Quando a menina despertou, já não era mais bruxa. Contou que agora era uma moça encantada e que não lembrava o seu nome. Pedi silêncio a todos, toquei a cabeça dela, sugeri que fechasse os olhos e tentasse lembrar, mas ela não conseguia. Então, um dos filhos trouxe um coco representado por uma bola, com um arco-íris dentro – era o mesmo filho que antes tinha oferecido veneno, novamente se apropriando do repertório indígena, pois, no mito citado, as cobras entregam a noite dentro de um coco para o indiozinho. Todos quiseram segurar a bola, o que gerou certa confusão, já que eram muitas mãozinhas para um mesmo coco! Quando enfim se acomodaram, outro filho fez de conta que estava furando o centro da fruta com o pregador azul.

Envolvemos a menina com um arco de fitas (uma meia-lua de bambolê com fitas coloridas de cetim penduradas) que estava no cantinho das fantasias e que representou o arco-íris saindo de dentro do coco. Ela fechou os olhos, enquanto as crianças, uma a uma, passavam as fitas sobre sua cabeça. Então, ela se lembrou: "Jés-si-ca", pronunciou lentamente. Celebramos.

Por fim, perguntei a ela do que gostaria de brincar. "De nada", ela respondeu satisfeita. Uma vez recordando o essencial, seu nome, a brincadeira se encerrou.

A importância do nome nas tradições indígenas

Lembro-me de uma manhã em que Sammy, índia norte-americana da tribo chippewa, veio contar histórias na Casa Redonda para educadores, pais e crianças. Ela nos ensinou que, em sua tradição, quando um bebê ainda se encontra na barriga da mãe, a avó e o avô cantam para ele: "Corre, corre para casa, você é querido aqui...". A casa é o coração dos avós.

Se o bebê está quase nascendo, cantam baixinho; se ele ainda não decidiu se vai vir ou não, chamam bem alto, para que os escute. Desse modo, dizem eles que as crianças de hoje são sonhos de gerações passadas, sonhos dos ancestrais. A coisa mais poderosa que podemos ter é o nosso nome, é o primeiro presente que nos é doado com amor incondicional, a vibração que aqueles que vieram antes de nós ouviram. "Se você canta o nome de sua criança, você a fortalece e ajuda a despertar o seu espírito", contou a índia Sammy.

Em certas culturas indígenas, como a dos munduruku, no Pará, os bebês recebem um nome social e outro nome secreto, mágico, cada um deles com uma função diferente na narrativa de sua vida. O mesmo acontece em algumas tradições ciganas. Durante a primeira amamentação, a mãe sopra no ouvido da criança um nome que somente ela e o filho saberão. Acreditam ser este nome-segredo o mais importante, aquele que protege a criança dos maus espíritos que poderiam dominá-la ao evocarem seu nome socialmente conhecido.

Isto me remete ao aprendizado que tive em uma oficina com Kaká Werá Jecupé, índio brasileiro. Segundo a tradição tupi, toda palavra possui espírito e todo nome é uma alma entonada em uma forma. Dançando, por exemplo, as vogais do nosso nome, consideradas tons essenciais, podemos alinhar os nossos seres, afirmando nosso poder criador sobre a Terra.

Para os índios tupi, há um ser acima de nós, conhecido como Grande Espírito ou Grande Música, que é ao mesmo tempo o Grande Silêncio; há um ser dentro de nós, a nossa alma, parcela desse Grande Espírito que atravessa o funil imaginário acima de nossas cabeças e é recolhida pelo coração; e há o nosso corpo físico, o nosso assento.

Os índios mais antigos da terra que hoje se chama Brasil se autodenominam *tupy*. Na língua sagrada, o abanheenga, *tu* significa "som" e *py*, "pé", "assento". "Tupi" significa "som de pé", "o som assentado", "o entonado".

Somos como flautas andantes... Temos uma parte que sabe disso e uma parte que já se esqueceu... Através das histórias, através das brincadeiras de faz de conta, a parte que sabe conta o segredo para a parte que se esqueceu. Conta o que precisa ser recordado. Pronto, o destino da brincadeira se cumpriu. Fim da história.

> As estrelas do céu correm
> Correm todas carreirinha
> Assim correm teus segredos
> Da tua boca pra minha[9]

---
9 Quadrinha popular.

COM O CORAÇÃO NA BOCA
Enfrentando o medo através
dos contos e histórias brincadas

> *O que o medo é, um produzido dentro da gente, um depositado; e que às horas se mexe, sacoleja, a gente pensa que é por causas: por isto ou por aquilo, coisas que só estão é fornecendo espelho. A vida é pra esse sarro de medo se destruir [...].*
> *Que: coragem – é o que o coração bate; se não, bate falso.*
>
> Guimarães Rosa

A espiral é uma ótima imagem para traduzir a aventura humana, a nossa jornada de aprendizagem. A cada roda da espiral nos aguarda a coragem que nos impulsiona a saltar para a próxima, mas a cada salto, sempre que nos encontramos prestes a crescer mais um pouco, também nos aguarda a força que pode nos fazer olhar para trás, nos paralisar, nos transformar em estátua, em "esqueleto em pé", como dizem as crianças.

Essa força é o avesso da coragem e tem nome próprio: medo. Na realidade, é a contra-força, a força contrária ao nosso crescimento, que nos acompanhará ao longo de toda a vida, até o último instante, no qual provavelmente sentiremos medo da morte.

O escritor moçambicano Mia Couto (2011) expressou muito bem essa questão:

> O medo foi um dos meus primeiros mestres. Antes de ganhar confiança em celestiais criaturas aprendi a temer monstros, fantasmas e demônios. Os anjos, quando chegaram, já era para me guardarem [...]. Os fantasmas que serviam na minha infância reproduziam esse velho engano de que estamos mais seguros em ambientes que reconhecemos. Os meus anjos da guarda tinham a ingenuidade de acreditar que eu estaria mais protegido apenas por não me aventurar para além da fronteira [...]. O medo foi afinal o mestre que mais me fez desaprender.

Existe uma correspondência entre o espaço dos contos tradicionais e o nosso espaço interno. Os personagens dos contos não são pessoas, eles correspondem aos nossos aspectos internos. Dessa forma, o medo, aspecto que todos nós carregamos internamente, assume nos contos a forma de personagens. Ele pode aparecer fantasiado de monstro, dragão, bruxa, lobo mau, gigante etc.

O espaço da história é o lugar seguro para a elaboração dos processos internos amedrontadores. Matando o monstro nas histórias, a criança está enfrentando, matando seu próprio medo para poder crescer com estrutura e autoconfiança; nesse caso, a morte para as crianças significa transformação.

Paulo Machado, psiquiatra e psicoterapeuta junguiano, em seu curso "Corpo de criança", que teve 13 edições realizadas na Casa Redonda Centro de Estudos, trouxe em um dos encontros a seguinte reflexão:

Os rituais nas culturas tradicionais são instantes de consagração, ou seja, de tornar sagrado, e exigem iniciações. Iniciações são processos orientados de dentro para fora que podem ser reclusão, abstinência, domínio psicofísico sobre o medo e a dor, enfim, sacrifícios. A questão do sacrifício deve ser compreendida como um sacro ofício, como a participação no segredo. O que diferencia o homem do animal é a relação de significado, esta dimensão sagrada que procura desde pequeno. A criança carrega esse mistério que deve ser acolhido. Distante de ser um processo global como nas culturas tradicionais, a educação carece de rituais de iniciação. A maior parte das escolas atende o aluno do ponto de vista técnico e a técnica nada mais é que um conhecimento sem iniciação. Portanto, contar histórias é importantíssimo, elas funcionam como referências para o desenvolvimento da consciência. Lidando com o medo nas histórias, por exemplo, as crianças conquistam um espaço interno.

Através das histórias, a criança vive o medo com o corpo todo, entrando em contato com suas múltiplas sensações, o que é bem diferente de se explicar pela via racional a uma criança que ela não deve sentir medo de alguma coisa por causa disso ou daquilo. Ao ouvir um conto ela pode ter reações físicas – ficar com a garganta seca, com frio na barriga, com os olhos arregalados, o coração acelerado. Como nos ritos de passagem, a criança vai desenvolver um domínio psicofísico sobre o medo para então saltar e se iniciar em uma nova etapa de crescimento. As histórias oferecem essa oportunidade de iniciação.

É interessante que os educadores respeitem esse tempo de digestão do medo, repetindo mil e uma vezes, se for o caso, justamente a parte mais amedrontadora de um conto a pedido das crianças, a fim de que o ciclo de medo relacionado àquela história se complete. Depois de longo período de elaboração, ouvindo inúmeras vezes a mesma história, uma criança verbalizou bastante satisfeita: "Agora eu engoli o medo e ele saiu no meu cocô!". Um exemplo literal do tempo de digestão do medo.

> **PALAVRA DE CRIANÇA**
>
> João, de três anos, adorava histórias, mas sempre que o conto começava a apresentar alguma cena amedrontadora, ele franzia as sobrancelhas e saía de perto, dizendo: "Tô foia dessa histoia, eu tô foia!". Acontece que do lado de fora ele continuava espreitando a história, a uma distância segura, exercitando seu autodomínio sobre o medo e, devagarzinho, vinha se reaproximando, confirmando: "Já acabou aqueia paite, né?". E quando tudo terminava com o "viveram felizes para sempre", ele concluía, aliviado, alguns minutos mais velho: "É legal essa histoia, muito legal essa histoia, né?".
>
> Mariana, de quatro anos, sempre pedia certa história a seu pai. Pensando racionalmente, o pai achava o conto bastante assustador e questionável, mas, diante dos insistentes pedidos de sua filha, contava. Anos mais tarde perguntou a ela se não tinha medo daquela história quando criança, ao que a moça respondeu: "Eu não sentia medo, pai, porque você não tinha medo!". ∎

Há situações em que acolher uma criança com medo durante uma roda de histórias, oferecendo colo, já basta para auxiliá-la a enfrentar esse momento. A relação de afetividade e segurança no vínculo com o contador de histórias, seja ele educador, pai, mãe, avó, é fundamental para que a criança atravesse o medo.

Também é comum que as crianças se ajudem nesse enfrentamento, dando-se as mãos ou dizendo palavras amigas. Tom, aos quatro anos, com a capa do Batman, aparentemente superpoderoso, ficou apavorado de medo em uma história e dizia para si mesmo: "Você é o Batman corajoso, vai, você consegue, vai!". Até que sucumbiu: "Robin? Cadê meu Robin?". Ele só atravessou o medo de mãos dadas com o amigo parceiro que vestia a capa do Robin.

É sempre bom estabelecer a diferença entre o elemento amedrontador inserido no contexto da história, como personagem, e o abuso do medo como forma de controle do adulto sobre a criança. Viver o medo no espaço dos contos, enfrentando personagens assustadores, é uma experiência absolutamente saudável, mas dizer a uma criança, por exemplo, que se fizer alguma coisa errada o Papão pode pegar, é ameaça e manipulação. Nesse caso, o medo pode prejudicar – e muito – o processo da criança.

É importante que o educador acolha as histórias brincadas que brotam espontaneamente. Diversas vezes as crianças projetam no adulto os personagens amedrontadores, enfrentando, matando e transformando esses educadores personagens no universo da brincadeira. Um educador brincante pode vir a ser lobo mau, gigante, dragão. Pode ser enfrentado como bruxa e transformado em princesa, pode morrer madrasta e nascer mãe, adormecer ogro e despertar rei. É bastante frequente nos espaços de educação infantil onde a natureza se faz presente, observar crianças brincando de caçar monstros ou lobisomens imaginários em perigosas florestas. Elas se fortalecem por meio desse tipo de brincadeira.

Etimologicamente a palavra "símbolo" vem do grego *sýmbolom*, do verbo *symbállein*, que significa "lançar junto", "jogar com". A palavra "diabo", por sua vez, deriva de *diabállein*, que significa "jogar entre", "acusar falsamente", "atacar". O simbólico pode ser compreendido como aquilo que não se separa, a unidade fundamental que reúne, e o diabólico como seu oposto, tudo o que desconcerta e desune.

O tema do monstro dividido e, portanto, diabólico é recorrente nas histórias tradicionais. Gigantes que guardam o coração fora do peito, *trolls* que carregam a cabeça separada do corpo embaixo do sovaco, papões que moram no sótão e começam a despencar aos pedaços pelo chão são apenas alguns exemplos de figuras amedrontadoras. O que assusta é representado pela divisão, e o herói busca a integração.

Tudo aquilo que a criança vive simbolicamente ela experimenta por inteiro, aprende com o corpo todo, em suas várias dimensões, religando. Matando o separador nas histórias, a criança experimenta esta integração. Destruindo o coração do gigante que estava muito bem guardado fora do corpo, a criança-herói integra o monstro.

Na metáfora do conto popular, este coração pode ser uma vela dentro de um ovo, que fica dentro de uma pomba, que fica dentro de uma caixa, no fundo do mar. Uma vez apagada a vela, o monstro já não ameaça mais: ele só era mau porque estava dissociado de seu coração.

O monstro com caráter devorador é outro tema recorrente nas diversas tradições orais. Lorenzo pediu certa vez: "Conta uma de engolir?". A temática do herói engolido pertence à simbologia dos ritos de passagem, tratando da travessia do herói pelo "limiar mágico", "pelo véu que separa o conhecido do desconhecido", nas palavras de Campbell (2007, p. 91 e 85). Nos mitos e contos, o herói pode ser engolido pela barriga da noite, pelo lobo, pelo dragão, por uma bruxa, por um peixe monstruoso como no caso bíblico de Jonas. É o monstro devorando o homem velho que retorna ao princípio, ao caos, à escuridão da barriga, fazendo renascer o homem novo, transformado. Por seu caráter devorador, o monstro participa tanto da vida como da morte: se por um lado simboliza o medo, por outro é a chave da transformação e libertação desse medo.

> **PALAVRA DE CRIANÇA**
>
> Certa manhã, depois de contar histórias na Escola Ciranda, as crianças resolveram espontaneamente me cobrir com panos. Logo me descobriram, retirando os panos, e então me pediram que eu as cobrisse, cada vez com mais panos, em um crescendo, muitas e muitas vezes.
> Assim foi surgindo uma história brincada com o tema mítico do herói engolido: pela onda do mar, depois pelo tubarão que foi engolido pela baleia, que foi engolida pelo gigante, que foi engolido pelo vulcão, que foi engolido pelo grande lago, que foi engolido pela noite, que foi engolida pelo universo. Por fim, eu me tornei uma fada com uma agulhinha imaginária, fiz um furo, tudo explodiu e as crianças renasceram, removendo as muitas camadas de panos para novamente serem engolidas pela barriga da história. Os contos vêm dos mitos, e essas histórias brincadas aos mitos retornam. ■

O herói engolido pode ter o porte do grego Héracles (Hércules na mitologia romana), que salvou Hesíone prestes a ser sacrificada a um monstro marinho, mergulhando pela garganta da criatura e arrebentando sua barriga, ou ter o tamanho de um animal bem pequeno e inofensivo. É uma formiguinha de fala fina que amola o facão e corta a barriga da onça para salvar os cabritinhos da comadre cabra, em "A cabrinha e a onça". Formiguinha que talvez seja "prima de primeiro grau" do grilo aparentemente tranquilo que serra um túnel de dentro para fora da barriga do papão de olhos de fogo, no já mencionado "Dom Maracujá", variante dos contos "A cobra Sucuiú" (HAURÉLIO, 2012) e "O bicho Tuê e o grilo" (HAURÉLIO, 2011).

No momento em que o monstro engole o herói, é comum ouvir a pergunta aflita das crianças: "Mastigou?". Ou a consideração insegura: "Mas ele não mastigou, né?". Quando o contador da história responde que não, que o monstro papão não mastigou o herói, devolve certo alívio aos que estão lá, na boca do medo da história; o fato de o herói não ter sido mastigado é a garantia de que, mais cedo ou mais tarde, renascerá inteiro da barriga que o engoliu.

Há uma variante do Bumba Meu Boi em que o tema do monstro devorador é brincado *literalmente*. Na tradição do folguedo Boi de Mamão, manifestação característica de Florianópolis, capital de Santa Catarina, a fantástica Bernúnça, espécie de papão – meio baleia, meio dragão –, investe sobre o público, abrindo a boca e engolindo as crianças. Elas ficam guardadas dentro do imenso corpo de pano da personagem, que depois dá à luz uma Bernuncinha. Alguns contam que a Bernúnça teria sido inventada por certo indivíduo que mostrou a figura à sua tia e, diante daquela enorme boca aberta, a velhota, assustada, esconjurou tremendo e fazendo o sinal da cruz para a grotesca criatura: "Abrenúncio! (Satanás), Abrenúncio! (Satanás)". Mal sabia aquela senhora que tinha acabado de batizar para sempre de Bernúncia, ou Bernúnça, o bicho com o qual as crianças adoram brincar...

Nos contos, monstros e dragões também podem aparecer como guardiões de um tesouro, simbolizando o conjunto de obstáculos que o herói deve ultrapassar para atingir o ouro da alma, sua joia mais rara. Dragões costumam guardar princesas. Nas palavras do poeta Rainer Maria Rilke: "Todos os dragões de nossa vida são talvez princesas que esperam ver-nos belos e corajosos. Todas as coisas terrificantes não são, talvez, mais que coisas sem socorro que esperam que nós as socorramos" (2001, p. 70).

É interessante notar que, uma vez morto o monstro ou dragão, em muitas histórias seu sangue extremamente venenoso pode vir a ser usado como arma do herói, servir de proteção e até mesmo ser fonte de imortalidade. O veneno do dragão, quando integrado à consciência, pode se transformar na cura do herói, assim como o soro antiofídico é feito a partir do próprio veneno da serpente.

Os monstros podem assumir formas desmedidas, gigantescas, no imaginário dos povos e das crianças pequenas. Theo, de seis anos, disse uma vez: "O mundo é como um monstro enorme. Quando ele está de boca aberta, é dia, e quando ele está de boca fechada, é noite". Eles também assumem formas fantásticas e estranhas, com anomalias, como um único olho no rosto, muitos braços ou diversas cabeças. É o caso da Hidra vencida por Hércules, espécie de dragão do pântano, um réptil com nove cabeças que renasciam à medida que eram cortadas. Em algumas versões do mito, o herói vai cortando as cabeças da Hidra e imediatamente cauterizando o corte com um tição de fogo, para que elas não renasçam. Em outras, ele se ajoelha erguendo o monstro do lodo fétido em direção à luz, e dessa forma a

Hidra vai perdendo a força até a morte. Mesmo assim, uma de suas cabeças era imortal, então Hércules decepa o monstro, sepultando esta última cabeça sob uma rocha onde passará o resto dos tempos sibilando sem saída, pois de que vale uma cabeça imortal separada de seu corpo?

Monstros podem ainda assumir formas híbridas, cruzamentos entre animais diferentes, ou entre homens e animais, como o conhecido Minotauro, metade homem, metade touro. A famosa bruxa Baba Yaga da tradição russa tinha o queixo comprido e virado para cima e seu nariz era longo e curvado para baixo, de modo que os dois se encontravam no meio do caminho. A casa dela tinha esse caráter híbrido: era uma casa com duas enormes pernas de galinha, amarelas, escamosas, que andava sozinha de um lado para o outro. Às vezes, a casa girava e girava horas e horas a fio, como uma velha bailarina em transe. Os trincos das janelas eram feitos de dedos humanos, das mãos e dos pés, e a tranca da porta da frente era um focinho com muitos dentes pontiagudos.

As crianças enxergam essas imagens de forma vívida e real, do mesmo modo que o contador de causos populares jura que sacis, mulas sem cabeça e lobisomens existem. Em Joanópolis, interior de São Paulo, as pessoas apontam nas ruas "personagens" que em noite de lua cheia se transformam em lobisomens. O mais curioso é que, durante o dia, esses homens de sobrancelhas selvagens, orelhas grandes e olheiras fundas costumam ser seguidos por muitos cachorros...

As histórias contam que monstros, dragões e lobisomens podem e devem ser enfrentados. Eles são a parte estranha, sombria, terrível e desconhecida de nós mesmos. Quando nossos monstros internos, nossos temores, nossos venenos e conflitos aparecem projetados no espaço da história, eles podem ser identificados, reconhecidos e, por fim, amordaçados e destruídos. Cada um deve ultrapassar em si próprio o desconhecido e o incompreensível, que é amedrontador justamente porque é desconhecido e incompreensível. Reconhecer e dominar o medo já é vencer o monstro. E vencer o monstro significa crescer com mais autonomia e conhecer a coragem: ação do coração. Nada melhor e mais seguro do que realizar esse desafio através dos contos tradicionais.

DIÁRIO DE BORDO

O bem e o mal nas histórias e nas cantigas

Nas oficinas e cursos de formação que venho ministrando, a questão do medo é recorrente. Muitas dúvidas a respeito do tema surgem, gerando longas reflexões com os educadores. Costumo abrir uma roda de conversa para que cada um conte quais eram seus medos de infância, e as histórias que brotam durante os círculos de memórias compartilhadas são sempre muito vívidas. Nesses momentos bastante espontâneos, os educadores, sem perceber, acabam contando com maestria histórias envolventes, uma vez que "estavam lá", e suas narrativas têm as marcas do frio na barriga e a pulsação do coração na boca.

Acredito que matar monstros, bruxas e dragões, seja nas histórias contadas, seja nas histórias brincadas, não significa de forma alguma incitar a violência infantil. Ao contrário, retirar o que causa medo nos contos para transformá-los em histórias politicamente corretas é privar a criança da possibilidade de crescer. Segundo Gandhy Piorski, oferecer contos "dissecados", sem vida anímica, por medo daquilo que poderia causar medo "não traz a força necessária para despertar um campo simbólico criador na criança"[10]. Varrer o medo para debaixo do tapete a fim de superproteger a criança acaba por fragilizá-la. Reunir não é fingir que o mal

---

10 Série "Diálogos do Brincar", uma realização do Território do Brincar e Instituto Alana, 2016.

não existe: a integração parte justamente do reconhecimento de todos os padrões humanos essenciais, onde o mal e o bem sempre conviveram. Se a criança não conhece o medo, não vai conhecer a coragem.

Nas diversas mitologias, os próprios deuses apresentam dois lados, duas faces: eles podem ser bons e maus, bonitos e feios, compassivos e irados, verdadeiros e falsos. As crianças sabem que elas mesmas não são sempre boas, e muitas vezes, mesmo quando são corretas, no fundo teriam preferido ser incorretas, o que contradiz o que os adultos lhes dizem, fazendo com que se sintam verdadeiros "monstros". As histórias tradicionais são metáforas da vida, e a criança pequena não vai elaborar seus medos e monstros de acordo com um pensamento racional e uma interpretação literal, mas sim através de metáforas, mergulhando nas imagens internas que emergem com os contos.

O reconhecido psicólogo infantil austríaco Bruno Bettelheim escreveu que, embora na realidade sejamos todos ambivalentes, ou seja, ao mesmo tempo bons e maus, a polarização marca as figuras dos contos: quando um irmão é tolo, o outro é indiscutivelmente esperto; se a mãe é bondosa, a madrasta é malvada; se a princesa mais nova é linda, as irmãs mais velhas são certamente feias e invejosas; e assim por diante. Segundo ele, "dado que a polarização domina a mente da criança, domina também os contos de fadas" (2002, p. 9).

A apresentação dos personagens a partir de qualidades extremamente opostas permite à criança compreender facilmente a diferença entre elas, isto é, a diferença entre suas próprias polaridades projetadas no espaço da história, o que seria mais difícil se as figuras fossem retratadas com todas as complexidades que caracterizam as pessoas. A polaridade auxilia a estruturar as bases da personalidade infantil a fim de que, mais tarde, a criança faça suas escolhas e compreenda a ambivalência humana.

Enquanto para a criança pequena é importantíssimo que o lobo mau seja realmente mau, a criança mais velha já consegue pensar qual seria o ponto de vista do lobo mau, as razões que o levaram a enganar Chapeuzinho, ou a perseguir os porquinhos, ou a devorar os cabritinhos, ou seja, ela já é capaz de humanizar o personagem.

É bastante curioso notar também a polaridade expressa nos acalantos, gêneros musicais que acompanham o princípio da vida. Se, por um lado, eles embalam os sonhos, por outro, evocam personagens assustadores, como o Tutu, derivado de Quitutu, palavra do idioma quimbundo ou angola que significa "papão", provavelmente trazido ao Brasil pelas amas africanas. Ou a Cuca, versão feminina do Papão que também se alimenta do medo infantil. E o Boi, que desde a Antiguidade carrega essa forte simbologia de medo, traduzida, por exemplo, na figura do Minotauro. Minha mãe sempre conta que a cantiga de ninar que eu mais gostava era esta:

> Boi, boi, boi, boi da cara preta
> Pega essa menina que tem medo de careta.

Na verdade, eu não me lembro de ter ficado amedrontada pela letra, muito pelo contrário, achava graça na careta. E hoje me pergunto: não seriam essas inúmeras cantigas de papão as primeiras iniciações infantis? Há toda uma aura de medo e, ao mesmo tempo, de proteção envolvida nesse ninar, um pacto silencioso e inconsciente entre aquela que nina e a criança que adormece embalada por um doce acalanto, sabendo que o boi pode pegar, mas que sua mãe estará eternamente lá para protegê-la...

Já minha avó paterna, descendente de italianos que morava na região do Ipiranga, em São Paulo, era mestra em me ameaçar com os papões. Quando queria que eu dormisse com ela e eu tentava escapar, ela me agarrava com as mãos mornas e dizia: "Fica com a vó, nenê, senão o bicho sai por debaixo da cama e agarra vossa canela!". Ou então, para me manter presa dentro de casa, caso eu saísse para o quintal, ela falava: "Vai, nenê, que o Homem do Saco te leva embora pra sempre...". Muito tempo mais tarde, eu compreendi que o papão era ela... *Ela* era a Mulher do Saco! Uma espécie de "bruxavó".

Alguns contos populares brasileiros realmente apresentam a figura do Homem do Saco, descrevendo um velho assustador, com seu surrão às costas, roubando crianças. No caso, a contextualização dele como personagem favorece o enfrentamento do medo através das histórias, experiência completamente diferente das manipulações abusivas à moda da minha bruxavó.

**"A Véia da Gudéia", conto
criado a partir de um pesadelo**

    Tatararatachim tararatachim tachimdolé-é
    O gato tomou minha sopa, só deixou foi a colhe-é

> Tatararatachim tararatachim tachimdolé
> A Véia comeu minha carne, deixou só esqueleto
> [em pé![11]

Em uma manhã de março de 2001, eu estava com meus alunos na Casa Redonda, quando Tomás, de cinco anos, chegou bastante aflito e começou a me contar o pesadelo que tinha tido com uma bruxa. Naquele instante, pulou de dentro de mim um nome: Véia da Gudéia. Quando nos conectamos com o universo das crianças, acordamos em nós imagens internas que começam a pipocar querendo sair da panela! Então eu disse ao Tomás que aquela bruxa do seu pesadelo parecia a Véia da Gudéia.

Eu já tinha ouvido falar de uma tal Véia da Gudéia, lenda da Pedra do Baú, em São Bento do Sapucaí, mas não conhecia o enredo da história, me recordava apenas do nome que sempre achei engraçado e estava guardado em algum esconderijo enferrujado da panela de minha memória. "Será que era ela?", foi o que perguntei naquele dia, e o menino disse: "Mas quem é a Véia da Gudéia?". Logo fui pedindo que me contasse como imaginava a figura da Véia, as outras crianças foram participando, pela lei do contágio, atraídas por algo que se apresentava significativo e intrigante. Assim, foi nascendo essa bruxa e a descrição da gruta onde morava.

> Diz que era uma Véia
> Escondida na moita

---

[11] Os dois primeiros versos da cantiga compõem a brincadeira de costura corporal recolhida por Lydia Hortélio, lembrando o "túnel" das festas juninas. Os dois últimos versos foram inventados na Casa Redonda e transformaram a cantiga em brincadeira de estátua.

Esticava uma perna
Encolhia a outra.

Fiquei repetindo várias vezes essa fórmula popular de início ou encerramento de contos, com entonações diversas, brincando com as crianças. Elas então se levantaram e ficaram experimentando como seria esse andar, realizando corporalmente aquelas palavras, e assim nasceu uma dança maluca da Véia, com seu grito escandaloso. Eu entrei na dança com elas, reproduzindo o timbre dramático de minha "bruxavó" paterna, voz que jazia reservada no armazém das minhas recordações mais antigas: "Eeeeeeeu sou a Véia da Gudéia!".

Então, de repente, uma criança disse: "Foi ela que transformou o príncipe em papagaio real!". E outra gritou: "Não, foi ela que transformou a princesa em laranja!". E uma terceira continuou: "Foi ela que encantou a princesa de Bambuluá!". Percebi que a Véia estava ganhando dimensões: ela foi virando todas as bruxas más de todos os contos que eles conheciam!

Por fim, Tomás perguntou: "E aí?". Eu me dei conta de que já estávamos dentro de uma história e continuei. Inventei que a bruxa transformou a família real em pedra, menos o príncipe (que pulou a janela e correu sem olhar para trás), e a princesa (que, segundo Vitória, tinha três anos como ela e virou uma rosa que chorava orvalho: "Sabe aquelas gotinhas de de manhã? Ela chorava isso...").

Como se eu mesma fosse o príncipe fugindo pela janela da história que inventávamos juntos, fui perguntando a cada uma das crianças se alguém sabia um jeito de matar a bruxa. De repente houve um verdadeiro ritual de malhação da

Véia. Todos gritavam ao mesmo tempo: "A gente corta e pica ela! A gente come ela! A gente chuta! Eu vou virar o Sol pra queimar a Véia! Ela não gosta de fedor? Então, tem que usar uma coisa bem perfumada pra espantar ela!". Quem olhasse de fora poderia se assustar diante daquela cena, mas o exorcismo da bruxa como enfrentamento do medo foi absolutamente legítimo e pertinente naquele momento da história.

Depois desse expurgo coletivo, confesso que fiquei atordoada, sem saber como continuar, enquanto as crianças, guiadas por Tomás, pediam: "E daí? E daí?". Eu disse que, justamente, o príncipe estava confuso e perguntei a elas o que ele deveria fazer, ao que Letícia, de cinco anos, respondeu: "Fala pra ele sentar na árvore pra se acalmar!". Depois de inevitável gargalhada, eu disse a ela: "Você tava lá! Foi exatamente isso que ele fez!". O príncipe sentou na árvore e, como narradora, fui criando um clima de suspense, exaltando os ruídos da floresta e o barulho dos passos de alguém que se aproximava. Quando vi, estavam todos apavorados: "Era ela, era a Véia?". Então, eu mesma fiquei com medo da Véia e disse a primeira coisa que me ocorreu: "Não gente, era um *Véio*!".

No ato, Tomás falou que o tal Véio era "igual aquele velhinho da história do 'Couro de Piolho'", conto recolhido por Câmara Cascudo. Trata-se de um exemplo da figura do velho sábio ou velha sábia que aparecem para ajudar o herói, como mediadores mágicos. Por fim, alguém disse que ele era "o primo da Véia". E, dessa forma, nasceu a figura do Véio, o único que sabia como destruir a sua prima malvada: agarrar pelo calcanhar, virar a Véia de ponta-cabeça e matá-

-la em seu caldeirão com água fervente. Essa ideia partiu do conto "A falsa velha" que as crianças conheciam, mas neste conto hindu uma princesa valente atira demônios em um poço, e na história que estávamos construindo, as crianças preferiram trocar o poço pelo próprio caldeirão da bruxa, onde não morria afogada, mas "explodida".

Dito e feito. O príncipe fez exatamente o que o Véio tinha dito. Acontece que quando morreu a Véia, ficou uma decepção no ar: "Mas para onde ela foi? Ela sumiu?". Tomás, dono do pesadelo inicial, perguntou: "O que ela virou?". Então percebi que ele precisava transformar a bruxa. E devolvi a pergunta: "O que será que ela virou?". Nova avalanche de ideias, até que Tomás falou que ela tinha virado "uma Princesa Gudeinha!". Depois de muitas risadas, fomos juntos inventando também os atributos dessa princesa. Vitória disse que "o cabelo da Princesa Gudeinha era comprido feito o da Rapunzel", ao que Matias provocou: "Mas assim ela tropeçava nele!". E, tranquilamente, o dono do pesadelo resolveu: "Não, ela não ia tropeçar porque o cabelo voava...".

Mais tarde, resolvi lapidar essa história com a colaboração de músicos para apresentá-la em outros espaços e ainda hoje acrescento detalhes novos ao conto a partir da troca com o público. Acreditamos que a história permaneceu porque brotou espontaneamente da oralidade, nasceu da verdade de uma criança que contagiou o grupo. Não foi uma proposta feita de fora para dentro, ela literalmente explodiu de dentro do caldeirão. A história acabou configurando a estrutura fundamental dos contos tradicionais, sendo construída a partir da colagem de motivos conhecidos, dos pesadelos e sonhos de cada uma das crianças envolvidas e também da "bruxavó" de minha infância.

Um ano depois dessa experiência, eu contava a história para as crianças e Tomás, então com seis anos, começou a olhar longe, através do conto e, num lampejo de consciência do seu processo, ele verbalizou: "Lembra que eu tinha tido aquele pesadelo? Eu não tenho mais aquele pesadelo, porque agora eu sonho com essa história". Uns meses mais tarde, ele me pediu ajuda: "Lembra a Véia da Gudéia que era um pesadelo e virou um sonho? Então, sempre no sábado e domingo eu tenho esse pesadelo, não é um pesadelo, é um pensamento. E lembra, o outro a gente virou em história, então...".

Pedi a ele que me contasse seu novo pesadelo ou pensamento e logo Tomás começou: "Era uma vez um monstro que desatarraxava tudo. À noite ele desatarraxava a cabeça e de dia ele pode desatarraxar os braços pra levantar uma casa e pra pegar uma pessoa. E ele, à noite, fica com uma cara muito feia. Ele guarda uma caixa, uma caixa, uma caixa, uma caixa. É, uma dentro da outra, tudo espalhado pela terra, debaixo da terra, na minha casa, não, na minha casa não. Pega a borracha, Cris, porque eu errei, não pode ser na minha casa, tem que ser espalhado só aqui nessa escola porque se não a gente não pode brincar dessa história, né? Uma caixa tá ali perto do balanço, a gente tem que cavar ali naquela árvore, se a gente achar tudo, se a gente ver um coração dentro da caixa, tem que pegar uma faca e cortar ele, cortar todo o coração que aí o pensamento do monstro, TUM, explode".

Reconheci nesse pensamento o tema do monstro dividido. Mais uma vez os contos ouvidos espelhando conflitos e temores através de metáforas. Aquela criança sabia que o espaço das histórias brincadas oferecia a possibilidade de transformação do medo. Naquele dia, depois de ouvir o pensamento de Tomás, fomos cavar o local sinalizado por ele. E você não vai acreditar, mas encontramos ali vela vermelha derretida! Os restos enterrados de alguma outra brincadeira viraram subitamente o coração da história! Você pode imaginar os olhos arregalados do Tomás? Com certeza não estavam mais arregalados que os meus...

Assim continuamos a nossa aventura em direção a outra volta da espiral ascendente, brincando de ultrapassar os obstáculos e vencer o medo, porque quando estamos prestes a saltar, ele é a força que nos faz olhar para trás e nos transforma em esqueleto em pé...

    Diz que era uma Véia
    Chamada História
    Morreu a tal Véia
    E ficou a Memória.

NA BOCA DA BARRIGA
Morte e vida nas histórias brincadas

Nós nascemos, por assim dizer, provisoriamente em algum lugar; pouco a pouco é que compomos em nós o lugar de nossa origem, para lá nascer mais tarde e a cada dia, mais definitivamente.

Rainer Maria Rilke

A morte é um tema bastante polêmico na educação, especialmente quando se trata de educação infantil, pois envolve sofrimento profundo e lida com questões e crenças pessoais relacionadas à finitude da existência humana. Em grande parte os educadores evitam, sentem imensa dificuldade ou não se julgam preparados para falar sobre o assunto com as crianças pequenas, transformando o tema em tabu.

Nas culturas tradicionais, a morte sempre foi compreendida como parte do ciclo natural, sendo integrada à vida através de rituais. Na cultura popular brasileira, em várias regiões do país os corpos ainda são velados em casa, e as crianças desde cedo participam desse rito.

É interessante observar que a palavra "velar" deriva de dois verbos latinos, *vigilare* e *velare*, apresentando consequentemente dois grupos de significados distintos. De *vigilare*, "vigiar", "passar a noite acordado junto ao morto", "zelar", "cuidar". De *velare*, "cobrir com um véu", "esconder", "ocultar". Podemos dizer que o tema da morte ainda é tratado em tom velado, encoberto, em vez de ser velado, ou seja, cuidado com zelo pela escola e pelos educadores.

Inevitavelmente, uma hora ou outra as crianças acabam assistindo a alguma cena relacionada ao assunto, ouvindo algum caso contado por alguém ou então sofrendo diretamente a perda de animais de estimação ou entes queridos, seja por doença, velhice, acidente ou violência. Cada uma vai reagir e expressar sua dor a seu modo, através de tristeza, choro, silêncio, dúvidas, ansiedade, insegurança, medo, agressividade etc.

A escola deve ser parte integrante no processo de acolhimento desse tipo de experiência na vida das crianças. É importante que o educador acolha as inquietudes de seus alunos diante do tema, converse sobre o que cada um sente nessa hora, com simplicidade e carinho, respeitando tempo e história particulares, solidarizando-se diante da gravidade da situação com empatia, podendo inclusive contar alguma experiência pessoal de perda.

Ao educador não cabe antecipar uma maneira de olhar a morte. Quando as crianças indagam sobre a possibilidade de vida após a morte, por exemplo, ele pode devolver a pergunta, recolhendo delas novas respostas, no entanto é preciso ter cuidado para não mascarar a verdade com véus.

Falar a uma criança que seu amiguinho dormiu para sempre, que a avó viajou para bem longe ou que o pai foi embora acaba gerando grande confusão. A criança pequena precisa ir aprendendo aos poucos, por mais doloroso que isto seja, que seu amiguinho não vai mais acordar (e nem ela morrerá quando for dormir à noite), que sua avó nunca mais voltará de viagem (e que aqueles que viajam, mais cedo ou mais tarde voltarão), aprender que seu pai nunca mais brincará com ela, que morrer é algo definitivo e irreversível. Conversar sobre a morte com as crianças é uma maneira de prepará-las para a vida.

Se o momento da perda for acolhido, a criança vai aprender que a morte é universal, vai saber que o educador já passou por alguma experiência semelhante e que seus amigos, de uma forma ou de outra, já viveram situações de sofrimento e podem oferecer gestos e palavras de conforto. O que não vai resolver nem eliminar a sua dor, mas vai tornar a criança participante de um processo natural à vida.

Abordaremos neste capítulo situações em que a morte, o nascimento ou o renascimento aparecem nas histórias brincadas, em seu sentido simbólico, configurando um estilo específico de faz de conta. Independentemente de a criança estar passando por situação de perdas concretas, o tema da morte/vida brota naturalmente nas brincadeiras, refletindo e pontuando passagens em seu desenvolvimento, a morte de uma fase e o nascimento de outra. "Agora eu morria" e "agora eu nascia de novo" são falas recorrentes nesse tipo de história brincada, que costuma acontecer em momentos de transição e iniciação de uma nova etapa – a morte simbolizando transformação.

Segundo o filósofo romeno Mircea Eliade, considerado um dos fundadores do moderno estudo da história das religiões, a iniciação não é um comportamento exclusivo das sociedades tradicionais: "[...] começamos hoje a compreender que o que se denomina 'iniciação' coexiste com a condição humana, que toda existência é composta de uma série ininterrupta de provas, mortes e ressurreições" (2002, p. 175).

Morrendo ou desmaiando nas brincadeiras, as crianças podem realizar suas passagens, refazer caminhos internos e saltar para outra fase. A cada vez, é como se crescessem um pouco mais. Da mesma forma, elas projetam personagens nos educadores justamente para confrontá-los, destruí-los, transformá-los. Ou então, quando a criança nasce nas brincadeiras, solicita o educador como aquele que acolhe e promove esse nascimento. Crianças podem brincar de nascer de dentro de cestos, saindo de debaixo de panos, encolhidas em caixotes, enterradas no tanque de areia até o pescoço etc. – inúmeras cenas primordiais de concavidade. O acolhimento, a proteção, o conforto, a intimidade, a interioridade são experiências vinculadas ao princípio materno. O colo, o cesto, o berço, o mosquiteiro, o ninho, o baú, o abraço são imagens que traduzem essa qualidade de experiência.

Cristopher, filho único até os quatro anos, passou muito tempo brincando de nascer dentro de um baú de fantasias o tempo necessário para elaborar o nascimento de sua irmã, quando a mãe ficou novamente grávida. Ele tirava tudo do baú, entrava nele, pedia para ser coberto com as fantasias que havia retirado de lá e, encolhido em posição fetal, contava tudo o que deveria ser feito para que pudesse enfim nascer. "Eu sou um bicho folharal", dizia ele.

É fundamental que os educadores respeitem essas experiências profundas com um olhar sensível. Não se trata de fazer propostas de fora para dentro: "Vamos brincar de nascer?", "Vamos brincar de desmaiar?". Muito menos de propor brincadeiras como essas, quando uma criança perde um ente querido. Elas brotam espontaneamente, de dentro para fora, e o educador precisa estar atento, observando, escutando as crianças, e ser continente, em atitude respeitosa.

As histórias tradicionais ampliam as possibilidades desse tipo de brincadeira, oferecendo repertório de imagens universais que são rapidamente incorporados, ou melhor, recordados pelas crianças.

Nos mitos, lendas e contos de tradição oral podemos encontrar narrativas repletas de imagens que abordam o tema do ciclo de vida, morte e renascimento. Em uma conhecida lenda tupi, por exemplo, a menina Mandi, fruto do amor entre uma índia e um jovem que descia da lua para visitá-la em sonhos, veio a falecer cedo e foi enterrada no coração da oca. Regada pelas lágrimas e pelo leite que escorria dos seios de sua mãe, a filha renasce na forma da raiz branca como a lua, que se tornou o principal alimento indígena: a mandioca.

Na cultura popular brasileira encontramos muitas variantes do conto da menina enterrada viva pela madrasta, quando procurava em vão espantar os pássaros que bicavam os figos da figueira de seu pai. Com o tempo, começa a nascer ali, no pé da árvore, um capim dourado, e o pai capineiro reconhece o canto da filha renascendo das profundezas da terra, implorando que não lhe cortem os cabelos. No conto tradicional argentino de origem inca "A flor de Lirolay" (BODENMÜLLER e PRANDO, 2015), o filho mais moço do rei é assassinado pelos irmãos invejosos, enterrado em uma encruzilhada. Mais tarde, no mesmo ponto do caminho que trifurcava, começa a nascer um juncal que cresce com força de coração novo. Certo pastorzinho que por ali passava colhe um caule de junco e com ele faz uma flauta. Quando sopra o instrumento, o príncipe morto canta sua história aos ventos, até que a verdade cantada através da flauta chega aos ouvidos de seu pai. Com a ajuda do pastorzinho, o rei desenterra o filho que à vida retorna.

"A Mulher Esqueleto" (ESTÉS, 1994), antiga narrativa do povo inuit, conta a história da mulher que foi morta pelo pai e atirada ao mar, onde os peixes devoram sua carne e arrancam seus olhos. Um dia, o anzol de um pescador fica preso nos ossos de suas costelas, e quanto mais ele luta para se desvencilhar dela, mais ela se enredava na linha, perseguindo o homem até sua casa. Naquela noite, a mulher esqueleto renasce, bebendo o rio de uma única lágrima que escapou dos olhos do pescador enquanto sonhava e revestindo seu corpo de carne ao retirar o coração dele e batucar aquele forte tambor. Amanhecem os dois, abraçados, enredados agora de outro jeito, mais vivos do que nunca.

São infinitos os exemplos! A sabedoria subjacente às histórias contadas e recontadas vai se manifestando no ato de brincar, a substância dos contos vem ao encontro das necessidades internas das crianças. Com a repetição e a interiorização das brincadeiras, saltos de crescimento vão sendo dados.

Através das brincadeiras, assistimos à capacidade que as crianças têm de ir resolvendo suas dificuldades em diversos planos, utilizando recursos que ultrapassam qualquer planejamento que o mais sábio educador poderia idealizar para cumprir um programa satisfatório.

PALAVRA DE CRIANÇA

Sofia, aos três anos, durante muitos dias brincou de mãe e filha, solicitando cuidados: "Olha, mamãe, minha barriga tá machucada. Foi o lobo mau, mãe, tem alfinetes, foi o lobo que arranhou, que raspou minha barriga. Olha, mamãe, olha meu raspo!". Então desmaiava, pedindo que a educadora mãe acariciasse sua barriga, até que nascia de novo curada.

Yasmim, de três anos, também passou meses brincando de se afogar: "Agora eu me afogava, tá?". Essa criança, aos dois anos de idade, tinha sido salva pela mãe de um afogamento e, um ano mais tarde, encontrou, no espaço das histórias brincadas, a possibilidade de elaborar sua experiência mais profunda de quase morte.

A brincadeira foi ganhando novos enredos criados e recriados por Yasmim, com base no repertório ouvido nas histórias contadas. Por exemplo, a filha se transformava em sereia depois de se afogar e apenas a educadora mãe conseguia atraí-la até a praia, cantando a seguinte música:

"Eu morava na areia, sereia
Me mudei para o sertão, sereia
Aprendi a namorar, sereia
Com aperto de mão, ó sereia"[12]

Ou então a educadora, triste no papel de mãe, cantando na beira da praia até que, de repente, aparecia um baú boiando. Ela abria o baú e lá dentro encontrava a filha morta, toda cortada de vidro; a mãe chorava muito e suas lágrimas lavavam as feridas da filha, que ficava curada – e ali estava o rico imaginário dos contos espelhando, através da brincadeira, a riqueza de nuances do mundo interno das crianças. ∎

---

12 CD "Abra a roda tin dô lê lê". Pesquisa e direção: Lydia Hortélio, 2002.

DIÁRIO DE BORDO

Com a palavra, os educadores!

Em oficinas de formação, muitas vezes os educadores trazem relatos intrigantes de brincadeiras com crianças envolvendo desmaios, mortes, nascimentos e ressurreições. Assistindo isoladamente a cenas semelhantes em suas práticas, sentem-se reconhecidos ao compartilharem suas experiências e perceberem fios comuns entre os mais diversos relatos. Alguns chegam a verbalizar: "No começo fiquei assustada, ou achei estranho, mas depois o aluno ficou bem...", ou ainda, "Eu não sabia o que fazer, ela desmaiou e ficou um tempão de olhos fechados! Com você também foi assim?".

A educadora Vanessa Aranha contou o seguinte relato ocorrido na Fundação Romi, em Santa Bárbara d'Oeste, São Paulo, envolvendo um aluno de cinco anos:

> A mãe estava presa e ele morava na favela junto com a avó e outros parentes; sobre o pai, eu nunca ouvi falar. Era uma criança que sempre estava agredindo as outras devido às suas vivências no lar e, toda vez que entrava nesses conflitos, chorava muito e gritava: "Mãeeeeeeeeeeeeee, mãeeeeeeeeeeeeee!".
>
> Foi em um desses dias que ele me contou que viu a polícia pegar a mãe no barraco dele, que ela estava debaixo da cama, escondida. Imagino como foi forte para ele ver tudo isso, pois só de ouvir me acabei por dentro. Então, começamos a ficar mais atentos por conta das agressões nas outras crianças, para poder ajudá-lo.

O dia da brincadeira foi assim. Estávamos brincando de fazer casinhas, com caixotes de madeira, quando de repente veio um vento forte e ele começou a gritar: "Mãeeeeeeeeeeeee, mãeeeeeeeeeeeee!". Abaixei e perguntei: "O que foi, Gabriel?". Ele só gritava e chorava, eu o abracei e disse: "É saudades? A gente pode escrever pra ela ou fazer um desenho". Então, nós fomos pegar lápis e papel.

Quando chegamos, a casinha já estava praticamente pronta, o Gabi foi desenhar, eu fiquei de mamãe dentro da casa com outros filhos e tinha outra educadora que também era a minha mãe. A avó fez o jantar, depois combinamos que era hora de dormir, todos dormiram. Logo eu fiz o "tic-tac, tá na hora de acordar". Então todos foram pra escola e eu disse que iria buscá-los na hora da saída.

Quando estávamos voltando da escola falei que havia um cachorro muito bravo no meio do caminho e que tínhamos que tomar cuidado. As crianças foram se escondendo atrás das árvores até a nossa casinha, e lá almoçamos a comida da vovó. Foi aí que precisei sair um pouco para atender uma ligação. Falei pra eles que iria trabalhar e logo voltaria.

Depois de cinco minutos chegou um filho correndo atrás de mim e disse: "Mãe, o 'titibul' (cachorro pit bull) matou o Gabriel!". Larguei o telefone e fui socorrer meu filho. Ele estava jogado na grama e não abriu os olhos. Eu o peguei no colo e disse: "O que vamos fazer agora?".

Uma criança deu uma injeção de faz de conta e nada. Foi então que eu disse que ia dar um beijo de mãe pra ver se ele acordava; eu dei vários beijos e nada. Falei pros filhos darem mais beijos de irmão e todos começaram a dar beijos no rosto, nos braços, e aí sim, ele abriu os olhos. Quando isso aconteceu, vários filhos caíram na grama e desmaiaram também...

Fabiana Gonçalves da Silva, educadora da Escola Ciranda, também viveu com as crianças uma experiência desse tipo, mas, no caso, ela é que caiu morta a pedido dos alunos. Assim ela relatou:

> Foi em uma de nossas manhãs na escola, eu brincava de mamãe e filhinhos com cerca de seis crianças entre quatro e seis anos, quando uma delas disse: "Agora você se deita aqui e finge que morreu!".
> Eu me deitei na grama e fechei os olhos. Todas as crianças se ajoelharam ao meu redor, em postura de oração, e começaram a cantar músicas de ninar e rezar. Depois de alguns minutos as crianças decidiram me enterrar e foram me cobrindo com tules coloridos e colocaram flores ao meu redor. Um menino que observava tudo de longe se aproximou e perguntou às outras crianças o que estava acontecendo. Uma delas respondeu que eu estava morta e aquilo era o enterro da mãe. Esse menino ficou incomodado, começou a tirar os tules de cima de mim e destruir todas as flores, chorou dizendo que eu não estava morta, que era pra acabar com aquela brincadeira. Todos ficaram muito bravos com o menino e então ele foi acolhido por outra educadora, enquanto as crianças se voltaram novamente para o meu corpo "morto".
> Eu permaneci imóvel, esperando que elas próprias colocassem um fim na brincadeira quando uma delas falou: "A vida da Fabi já foi pro céu. Agora a gente já pode ir embora". Então, eu abri os olhos e comecei a me levantar, sem dizer nenhuma palavra, e todas as crianças se levantaram e saíram correndo, rindo, em direção aos balanços.

Impossível saber o que exatamente se processou na troca de mistérios entre as crianças e Fabiana. Talvez, com esse enterro, os alunos tenham sido guias de alguma passagem profunda da educadora.

Acreditamos que a finalidade do ciclo humano é justamente passar para o outro lado do véu, muitas e muitas vezes, experimentando diversas mortes e revelando outros tantos renascimentos. Talvez estejamos na Terra como crianças na concavidade de um grande útero, sendo eternamente convidados a dar à luz nós próprios, nascendo e renascendo para outras dimensões de consciência.

Gandhy Piorski (2016, p. 89) discorre sobre os "brinquedos da repercussão", que ecoam profundamente no mundo interno da criança: "Nos lúdicos ritos de intimidade dos brinquedos da terra reside o mais noturno e axial dilema da vida: a morte. Logo cedo, no brincar, sem ser percebido como ameaça ao ser, (...) esse tema começa a gravitar em torno de si símbolos de origem (...) por ser essencialmente uterino e por ser a criança visceralmente, umbilicalmente, recordada do útero". Em suas brincadeiras a criança faz da morte uma afirmação eterna da vida, imprime renascimento à destruição. Para ela, o sepulcro é útero regenerador.

Nas palavras de Joseph Campbell, "retornando ao útero do mundo", no interior da barriga, concentrado em silêncio e escuridão, o herói "será revivificado pela lembrança de quem e do que é" (2007, pp. 92-93). Mergulhando no tempo da criança, compartilhando suas histórias brincadas, também somos revivificados, recordando a dor e a maravilha de ver o nascimento do mundo a cada instante.

Mãe ou madrastra? Mãe e madrasta! Mãedrasta.

Uma manhã, uma criança pediu para brincar de Cinderela. Rapidamente outras se agregaram, já que aquela brincadeira vinha se mostrando bastante significativa. Elas queriam que eu fosse a madrasta e que falasse gritando, que mandasse e que brigasse muito. Então, em dado momento, as Cinderelas se revoltaram: "Que chato, a gente tem que costurar à noite segurando a vela!", "A gente vai ficar magrinha...", "A gente não aguenta mais lavar roupa no rio!", "A gente tá cansada de espantar os passarinhos da árvore!", "A gente quer ir pro baile e ela não deixa, bate na gente...".

De repente, resolveram me atirar em um calabouço, dando início à mais longa morte da madrasta. Foram me enterrando com panos e eu fiquei coberta por muito tempo, enquanto faziam o meu ritual de morte: "Morre! Morre! Morre!".

A Cinderela Marina, que há muito tinha medo desse tipo de brincadeira, era a que pulava mais alto, adorando: "Morre! Morre!". Alguém disse: "Acho que ela morreu!". E a Cinderela Fernanda falou, determinada: "Não, ela ainda tá sobrevivendo! Mais coisas!". Então agregaram tambores, berços de boneca e outros brinquedos ao meu enterro, deixando o casulo em volta de mim cada vez mais espesso, e espontaneamente começaram a cantarolar a *Marcha nupcial*! Até que, em dado momento, a Cinderela Aléxia disse, assustada: "Ah! Já é meia hora!" (querendo dizer meia-noite, hora do baile). A Cinderela Letícia arrematou: "Vem, vamos se divertir, pessoal!". E foram livres ao bailè.

Enquanto as Cinderelas dançavam no salão do palácio, um aluno fantasiado de Super-Homem tentou me ajudar, mas nem o Super-Homem soube o que fazer, saiu para buscar ajuda e nunca mais voltou! Por sorte, depois do baile as crianças que tinham matado a madrasta voltaram para casa e me desenterraram. Eu era a mãe que nascia, pois era assim que elas me reconheciam: "Ai que saudade da nossa mãe! Mamãe, mamãe!". As crianças me abraçavam carinhosamente e se faziam abraçar. Elas me alimentaram e cuidaram de mim. Vestiram a mãe com fantasias e também se fantasiaram, pedindo que eu as olhasse: "Mãe, diz que eu estou muito bonita e brilhante!". Algumas choravam como bebês, pedindo colo. Assim celebramos a morte da madrasta e o nascimento da mãe, brincadeira que se repetiu muitas vezes.

Um dia, enterrada por muitas camadas de pano, acompanhei a conversa entre duas Cinderelas: "Ela morria, mas ainda vai acordar madrasta", falou uma delas, e a outra disse: "Pra mim já tá bom!". E a primeira arrematou firme: "Pra mim, não!". Percebendo a necessidade da amiga, a segunda cedeu: "Tá bom! Ela fica um pouco mais madrasta pra você". Eu acordei madrasta, exerci um tempo a mais esse papel, e somente então fui transformada em mãe.

Outra vez uma Cinderela ficou repetindo em voz alta o seu medo: "Lembre-se, nada de madrasta, viu?", enquanto todos os outros pediam que eu ficasse malvada. Nesse momento, sugeri que ela fosse minha filha e, aos poucos, a menina entrou na brincadeira: "Se eu brincar de filha da madrasta, eu não tenho medo dela!".

Uma delas mais tarde esclareceu: "A mãe vira bruxa quando fica triste, e sempre, depois que a bruxa morre, ela vira mãe outra vez". Assim o círculo se fechou, pois a brincadeira começou pela outra ponta: eu era a mãe, que ficava muito triste porque os filhos eram desobedientes, e me transformava em madrasta. Essa madrasta era enfrentada de muitas maneiras até morrer e se transformar novamente em mãe, para ficar outra vez muito triste porque seus filhos...

Assim, as crianças foram se autorregulando no confronto com as duas imagens: de um lado o feminino que nutre, redime, acolhe, e, de outro, o feminino que limita e ameaça, porque não promove o crescimento. Mãe e madrasta conversando como personagens, como faces de uma mesma força que ora abraça, ora tolhe. Confrontar e matar a madrasta simboliza enfrentar os obstáculos e crescer, revelando o encontro com a mãe afetuosa e continente. As meninas, que particularmente adoram esse tipo de brincadeira, explicaram certa vez as graduações dessa imagem: "Primeiro tem a mãe, depois a mãe brava, depois a madrasta e depois a bruxa!".

PALAVRA DE CRIANÇA

Ananda e Yasmim, ambas com cinco anos, criaram a seguinte história que ilustra muito bem esse processo:

"Era uma vez duas Marias Fujonas que um dia sua mãe começou a virar uma bruxa. Um dia a mãe prendeu as filhas na cadeia e depois quis fazer das filhas um bolo e colocou no caldeirão, com cocô de cavalo, meleca de nariz, remela de olho, língua de passarinho, sapo morto, baba de onça, e aí depois apertou o botão 'túnel'. Aí as meninas cozidas entraram no caldeirão do túnel e foram para o forno. A mãe tava fazendo uma (não!, não era mãe, era uma bruxa!) que tava fazendo uma cobertura de espinhos. Cobriu as filhas-bolos de espinho e depois comeu elas. Mas sem mastigar. E cresceu a barriga da bruxa e ela dormiu até amanhã, quando nasceu as meninas que eram as filhas. E depois as mesmas coisas, tudo, tudo de novo. Aí depois, um dia elas nasceram boazinhas respeitando a mãe e ela não virou mais bruxa e virou nossa mãe bonzinha e ela foi casada com o príncipe, foi o baile e foi a moça mais linda, ele escolheu ela e casou com ela. E viveu feliz para sempre com as filhas. E com a rosa branca!" ∎

TELA NA BOCA
A criança de hoje

Pause na história, que eu já volto!

Nina, três anos

Atualmente já é consenso que a televisão e o computador são capazes de exercer efeitos negativos sobre qualquer indivíduo quando usados como as principais pontes para o mundo. Eles podem manter a mente em letargia, muitas vezes embotam o senso crítico e podem desestimular o conhecimento através da experiência vivida, transformando o indivíduo em mero espectador de sua vida.

No caso da primeira infância, a superexposição às telas dos eletrônicos é especialmente nociva e a maior parte dos educadores enfrenta dificuldades ao lidar com essa realidade em sala de aula. A maioria dos pais não supervisiona o uso de eletrônicos por seus filhos e muitas crianças possuem aparelhos em seus próprios quartos. Crianças superexpostas à tecnologia, absorvendo abusivamente uma programação que apela para o consumo, o erotismo precoce e a violência são mais suscetíveis a desenvolver déficit de atenção, atrasos cognitivos, problemas de socialização, impulsividade aumentada e diminuição da capacidade de autorregulação. A exposição prolongada às telas também está correlacionada à incidência de obesidade infantil e aos distúrbios do sono.

O uso da tecnologia restringe movimentos, justamente em uma época em que as crianças deveriam aprender brincando com o corpo todo. Segundo Maria Amélia Pereira:

> O que se processa na realidade das telas, inclusive hoje com o surgimento dos jogos eletrônicos e até mesmo dos chamados interativos [...] é o fenômeno do congelamento do corpo e do impulso sensível das crianças. [...] Há um bombardeio de estímulos e respostas visuais e auditivas que se tornam impulsos elétricos sem conexões passíveis de serem assimiladas pelo corpo mental das crianças. (2013, p. 160)

Quando ouvem uma história de boca, as crianças criam as imagens com as quais conseguem lidar. Elas nunca vão imaginar a bruxa maior do que seu medo poderia aguentar. A experiência de ouvir histórias é imprescindível para o desenvolvimento da mais humana de todas as nossas capacidades, a imaginação, capacidade favorecida no encontro com o imaginário das diversas tradições orais.

Infelizmente a iniciação humana por meio das histórias está sendo substituída pela acomodação diante do acúmulo de imagens cristalizadas. Estímulo e reação já vêm prontos nas telas, eximindo a criança do exercício fundamental de criação interna. Os alunos superexpostos à televisão, aos computadores e celulares acabam sofrendo de uma espécie de "overdose" de imagens e apresentam, em suas histórias brincadas, boa parte desse repertório. Eles imitam imagens de filmes, desenhos e games, reproduzindo com perfeição ruídos e gestos, em ritmo corporal frenético, ritmo este tão diferente do tempo interno das histórias de boca.

Excluindo-se filmes e desenhos sensíveis ao universo infantil, a maior parte da programação assistida acaba sobrecarregando meninos e meninas na primeira infância. Crianças bombardeadas pelo excesso de estímulos visuais e auditivos podem apresentar grande desorganização interna e, de certa forma, exorcizam nas brincadeiras todo o material assistido.

Muitas e muitas vezes, a TV costuma preencher o tempo que resta aos alunos quando não estão na escola, funcionando como uma espécie de babá eletrônica no lugar dos pais que, independentemente de classe social, não têm tempo para brincar com seus filhos. Mesmo quando há uma babá de carne e osso para cuidar das crianças, as telas se fazem presentes.

Certa vez, uma babá compartilhou que a mãe da criança que ela cuidava tinha acostumado o filho a dormir com a TV ligada. Uma noite a TV quebrou e a babá ficou horas, sem sucesso, tentando fazer a criança dormir, até que assistiu a uma cena chocante. Durante muito tempo o menino emitiu ruídos de TV para se autoembalar até finalmente dormir, exausto. E a babá concluiu, com indignação: "Televisão não é mãe não, se televisão fosse mãe, nascia era um monte de televisãozinha!".

Sem dúvida alguma, as telas vieram para ficar, mas isso não significa que as crianças precisem assistir a tudo, de forma não criteriosa, e passar horas por dia em frente a elas. O cuidado e a proporção correta, equilibrando o tempo diante das telas e o tempo de brincar na primeira infância, é a medida saudável para garantir qualidade de vida às crianças, sem excluí-las da realidade tecnológica. As telas não podem privar as crianças da companhia de suas famílias, dos amigos e do contato com a natureza, muito menos "roubar" delas o exercício fundamental de criação interna que é a capacidade de imaginar com a "tela de dentro".

É importante haver uma parceria real entre a escola e as famílias para que esses vínculos sejam recuperados. Se educadores e familiares responsáveis pelas crianças não resgatarem o encantamento e a qualidade em suas próprias vidas, torna-se praticamente impossível contagiar as crianças. As reuniões de pais em uma escola de educação infantil, por exemplo, podem ser momentos de brincar, cantar, conversar e ouvir histórias. Talvez assim, aos poucos, pais e mães mais nutridos em suas almas comecem a notar o que seus filhos andam carecendo.

Dan Yashinsky (apud MACHADO, 2004) narra um fato ocorrido em uma aldeia africana, quando lá chegou o primeiro aparelho de televisão. Durante duas semanas, um antropólogo que estava ali observou que todas as pessoas não fizeram outra coisa a não ser olhar a tela luminosa, fascinadas. Então, gradualmente foram perdendo o interesse e voltaram a ouvir o contador de histórias do vilarejo. Quando o antropólogo perguntou por que tinham parado de assistir à TV, uma vez que ela conhecia muito mais histórias que o velho contador, um aldeão respondeu: "A televisão conhece mais histórias, mas o contador *me* conhece".

Torna-se cada vez mais necessário abrir espaço para a troca humana ligada à tela da vida e cavar caminhos para a sabedoria das histórias tradicionais. É fundamental que os educadores e contadores de histórias ofereçam às crianças outros universos como contraponto, outras referências significativas, ampliando seu repertório de contos, aprofundando as brincadeiras de faz de conta. Não se trata de ignorar os novos tempos com saudosismo, mas sim de olhar com mais atenção para a terceirização de vínculos, privilegiar a escolha consciente de programação sensível para crianças, desenvolvendo um senso crítico em relação ao uso adequado da tecnologia.

DIÁRIO DE BORDO

Hércules!

Um grupo de meninos de cinco anos começou a apresentar bastante resistência a tudo o que considerávamos formas garantidas de educação. Eles fugiam das atividades com argila, ignoravam as construções em madeira, se escondiam das pinturas com tinta, escapavam dos jogos na natureza, sempre com preguiça. Na hora de ouvir histórias, que geralmente favoreciam aquietamento, eles manifestavam pressa enorme e irritação profunda: "Vai, conta logo! Ai, já tá bom, chega dessa musiquinha! De novo você vai cantar essa chatice?".

Essas crianças só queriam saber de desenhar, e faziam desenhos incríveis, normalmente sem cores. O grafite era disputadíssimo entre eles, porque favorecia a precisão de detalhes de suas figuras, figurinhas minúsculas, sem linha de base, reproduzindo imagens dos filmes e desenhos que vinham assistindo. Ou estavam desenhando ou estavam brincando esses desenhos, e então emitiam com perfeição os ruídos e gestos da televisão.

Revelavam um verbal extremamente ativado, acelerado, e o repertório de palavrões era vastíssimo. Eram capazes de inventar regras elaboradíssimas ao desenharem em grafite: "Verdadeiros games!". Como disse um deles enquanto desenhava um desses jogos: "Isso pra mim não é um quebra-cabeça, é um fácil-cabeça".

Havia alguns momentos de trégua, quando pediam colo e às vezes massagem. Durante uma delas, fui fazendo uma espécie de cafuné na cabeça de um deles e falei: "Imagine agora toda essa sua agitação saindo pelos seus cabelos". De olhos fechados, ele imediatamente começou a falar bem alto: "Sai Star Wars! Sai Indiana Jones! Sai Ben 10!".

Estávamos em novembro e se aproximava o tempo de preparação da Festa da Estrela, celebração de fim de ano da Casa Redonda. O que fazer se essas crianças, que por serem os mais velhos teoricamente seriam os responsáveis pela tradição da festa, não queriam saber de nada?

Então pedimos ajuda ao professor Paulo Machado e, diante da nossa ansiedade, ele sabiamente sugeriu que fizéssemos com eles um projeto a partir do herói mítico Hércules. O mito de Hércules é tão frenético quanto a programação assistida por eles nas telas, com a diferença de que as imagens seriam agora assistidas na "tela de dentro".

Foi nessa ocasião que me chegou às mãos o livro *Contos e lendas: Os 12 trabalhos de Hércules* (2003), de Christian Grenier, com o qual me envolvi completamente, o que julgo ter sido fundamental para que eles também se envolvessem. Resolvi contar os episódios em capítulos, procurando estabelecer um fio significativo e prolongar aquela experiência como uma atividade de "Mil e uma manhãs". E funcionou! Eles me cobravam as cenas dos próximos capítulos: "Pelo amor de Deus, só mais um, conta qual é a outra tarefa, vai!".

Mas o que eles não sabiam é que eu também não sabia qual seria a próxima aventura, porque fiz com eles o que fazia comigo – lia e me preparava para contar "de boca" apenas um capítulo por dia, degustando cada aventura no seu tempo.

A palavra "mito" vem do grego *mythós*, que tem um grande número de significados dentro de uma ideia básica: discurso, mensagem, palavra, assunto, invenção, lenda, relato imaginário. Há uma conotação pejorativa que relaciona mito e "mentira". O neurologista e pai da psicanálise Sigmund Freud quebrou essa relação quando estruturou toda sua teoria a partir da mitologia, olhando os mitos como poderosos guias internos. Mitos são atemporais e eternos. Tangem dois grandes mistérios: a cosmogonia e a jornada do herói. Eles são a chave para sua compreensão, mas não foram feitos para serem entendidos e sim sentidos, vividos.

No início, fiquei com a "síndrome do politicamente correto" porque havia cenas bem fortes, cruas e sanguinárias, mas logo percebi que as crianças estavam muito mais próximas do mito que eu, sentindo e vivendo essa linguagem primordial, metafórica, e para elas era natural o trânsito entre deuses e humanos. Assim foi.

Os mitos antigos harmonizaram corpo e mente do homem nas diversas tradições, e acho que Hércules cumpriu sua missão por aqui.

Quando as "Mil e uma manhãs" terminaram, um dos meninos se ajoelhou, implorando: "Por favor, tudo de novo, pelo amor de Deus, conta tudo de novo!". Por fim, construíram em barro o "Reino de Hércules" para enfeitar a nossa festa, integrado à "Lapinha" que anualmente montamos, fundamentados nos "Bailes do Deus Menino" da cultura popular brasileira. A princípio saíam figurinhas pequenas, muito próximas aos desenhos de grafite, mas aos poucos elas foram sendo ampliadas e saboreadas com imenso gosto. No último dia, já cansados de pintar tanto barro, exclamaram em coro: "Ah, não! Mais trabalhos de Hércules, não!".

Creio que o esforço do educador de hoje é hercúleo, ao mesmo tempo em que o trabalho é de formiguinha: paciente, persistente e, acima de tudo, coletivo.

Eu tava lá
Na boca do educador contador

> Mestre não é quem sempre ensina,
> mas quem de repente aprende.
>
> Guimarães Rosa

> Digo: o real não está nem na saída nem na chegada:
> ele se dispõe para gente é no meio da travessia.
>
> Guimarães Rosa

APRENDENDO A CONTAR HISTÓRIAS DE BOCA

*Nunca ensinei passos aos meus alunos.
Eu lhes disse que apelassem ao seu espírito,
como eu apelei ao meu. Arte é apenas isso.*

Isadora Duncan

Não existem fórmulas para se contar histórias, existem formas; a forma de cada um encontra-se diretamente relacionada à sua história de vida e à troca viva com aqueles que o escutam. De acordo com Regina Machado (2004), ninguém pode ensinar uma pessoa a ser uma boa contadora de histórias e, ao mesmo tempo, qualquer pessoa pode aprender a contar bem uma história.

Muitos educadores vêm se aproximando cada vez mais da arte de contar histórias, buscando técnicas, recursos para prender a atenção das crianças, repertórios mais apropriados para determinadas faixas etárias e até mesmo modelos de elementos cênicos e figurinos. Mas, como sempre reforça Regina Machado em suas formações, é importante considerar que não há técnica sem presença. Toda técnica para a arte de narrar resulta de um processo de elaboração da presença do contador.

Não se trata de aprender passivamente a contar histórias a partir de padrões imitados ou receitas de como fazer, como falar, como gesticular, para onde olhar, o que dizer, mas de uma apropriação criativa do conhecimento. O aprendizado precisa ser iniciado de dentro para fora e não copiado de fora para dentro, e as respostas vão sendo reveladas ao longo da experiência, pois nada substitui o contato vivo entre o mistério de quem conta uma história e o mistério de quem escuta.

Nesse sentido, é também importantíssimo que o educador passe pela experiência de escuta, ouvindo contadores diversos, deixando as histórias brincarem dentro dele, a fim de que, aos poucos, encontre a sua própria voz. A voz de uma pessoa é única, como as linhas da palma da mão, como as impressões digitais formadas no feto ainda na barriga da mãe; única como a história de cada um. Todo ser humano é marcado por essa originalidade.

A atriz e arquiteta Mônica Jurado, em suas aulas sobre "A voz na construção da imagem", costuma contar que os ossos são nossa principal caixa de ressonância, uma espécie de amplificador de retorno, e, quando falamos, vibramos de modo quase imperceptível em nosso esqueleto, circulamos o verbo emitido e ele reverbera nas estruturas do nosso corpo. Ou seja, tudo o que dizemos, primeiramente age em nós! Provavelmente, por terem esse conhecimento, é que as tradições ancestrais valorizem tanto a intenção e a qualidade da transmissão do que se fala.

Um dos enganos mais frequentes é acreditar que a emissão da voz acontece na garganta. Se visualizarmos a emissão de uma fala, colocando a atenção em outros pontos do corpo, como o baixo-ventre, plexo solar, nariz ou topo da cabeça, podemos modificar completamente sua comunicação. Nas palavras de Mônica Jurado (2014)[13], "a voz profunda, aquela que ressoa verdadeira e nos alcança com sua potência, carisma, clareza, esta voz certamente vem projetada de um território mais amplo: da intenção clara de todas as nossas falas e da consciência de nosso corpo inteiro como emissor da voz".

Há um equívoco bastante comum relacionado à voz do educador contador de histórias. Muitos infantilizam seu tom de voz quando se dirigem às crianças. Na verdade, o contador não deve ser um adulto infantilizado, imitando um estereótipo de criança, mas um adulto em busca dessa voz mais profunda. É fundamental que deslize nas cortinas do tempo em busca da criança que foi um dia e que a convide para estar presente de agora em diante.

Rastreando a fala dessa criança interna é impossível trabalhar com educação infantil sem que, mais cedo ou mais tarde, revisitemos a nossa própria infância, em todos os seus aspectos luminosos e em todos os seus aspectos sombrios. Muitas e muitas vezes, o sábio educador presente no aluno à nossa frente ensina a criança que fomos a fazer essa travessia...

Sabemos que as crianças olham através do contador, que elas estão lá, no espaço e no tempo da história, nas profundezas delas mesmas, sabemos que saltam obstáculos, que crescem um pouco mais, sabemos que desenvolvem a capacidade de ver criativamente, mas o cinema que assistem por dentro é só delas. Assim como o nosso filme também é único.

---

13 Comunicação oral em encontro "A voz na construção da imagem", realizado pelo grupo Meditação com Tambores, na Casa Neo 10, em 2014.

O contador de histórias precisa ver criativamente. Quanto mais visualizar o seu próprio filme do conto, mais as crianças aprenderão com o delas, porque elas percebem em primeiro lugar esta relação do contador com a história, o encontro e a entrega. A experiência de ver a história pode se dar de inúmeras formas: enxergando cenas, despertando memórias, sensações, aromas, cores, sabores, ouvindo os sons escondidos dentro do conto. Tudo isso é *ver*.

Existe uma forma de encerramento de contos tradicionais brasileiros que sintetiza essa capacidade que o contador precisa desenvolver. O narrador popular se coloca dentro da história, dizendo: "Eu tava lá, tinha até trazido um prato de doces pra vocês, mas na Ladeira do Escorrega, eu dei um tropeção e caiu tudo no chão!". Ou então: "Eu tava lá no baile! Dancei tanto que meu sapato até furou!". Ou ainda: "Eu tava lá no banquete e separei uns salgadinhos pra vocês, mas na Ladeira do Concliz escorreguei e quebrei o nariz", entre outros exemplos.

Se há alguma fórmula para se contar histórias, ela se resume neste "Eu tava lá". O contador só será um bom irradiador do conto se, ao contar, também estiver vivendo aquela experiência. Não é preciso ser ator para contar histórias, nem saber cantar ou dançar ou tocar algum instrumento musical. Tais habilidades podem enriquecer a narrativa se fizerem parte da formação do contador, isto é, se ele tiver competência para transitar entre estas linguagens, mas não são condição para a arte de narrar. As avós de todos os tempos nunca precisaram ser atrizes para contar histórias aos netos. Um contador de causos populares pode passar horas narrando seus contos na soleira da porta, acocorado, ou sentado em um banquinho, quase sem se mover. Um índio também pode atravessar a noite contando suas histórias tradicionais sem canto ou dança ou algum instrumento musical, apenas acompanhado pelo trepidar da fogueira.

A grande habilidade que o contador de histórias e o educador, ou ainda o educador contador, precisam desenvolver é o mergulho na experiência do "Eu tava lá". É esta imersão em sua própria presença que as crianças devem sentir, porque, se ele não estiver lá, ninguém mais vai conseguir estar. Joseph Campbell, em seu livro *A jornada do herói*, fala na experiência de nos tornarmos "transparentes para o transcendente", vendo a nós próprios como um veículo de algo que está além da fala, além das palavras, além dos gestos, e assim participar de uma fantasia mais profunda, uma "fantasia significante" (2003, pp. 72 e 38).

Por esse motivo é fundamental contar apenas as histórias que nos proporcionaram experiências significativas. As crianças sabem exatamente quando contamos e quando fingimos que contamos. Elas sabem com clareza se *estivemos lá* mesmo...

DIÁRIO DE BORDO

Contar histórias e ouvir as crianças

Esperar que as crianças fiquem quietas e comportadas, em silêncio, ouvindo histórias é ilusão de quem não conhece criança. Quantas e quantas vezes, enquanto conto histórias para determinado grupo, ao fazer uma pergunta recebo a resposta de alguma criança que aparentemente não estava prestando atenção, envolvida em outra brincadeira.

Existem muitas e muitas maneiras de a criança *estar lá*. Em uma apresentação de "Contos cantados e histórias brincadas", Tiago, de apenas um ano de idade, criança que com sete dias de vida teve um AVC, *esteve lá* de forma impressionante. Quis por vontade própria ficar em pé pela primeira vez, entregue à sua "fantasia significante". E eu me entreguei à minha presença, contando, cantando, tocando tambor. Ao contrário do que muitos acreditam, "prender" a atenção de uma criança não significa mantê-la imóvel e silenciosa, mas sim sustentá-la em presença através de experiências significativas. Para isso, o educador precisa estar presente.

Quando uma criança participa da história com alguma contribuição, costumo brincar dizendo: "Era isso mesmo, você tava lá!". Um dia, em uma apresentação, Frederico, de quatro anos, gostou tanto da brincadeira que passou a história inteira participando e concluindo satisfeito: "Eu tavo lá! Eu tavo lá! Eu tavo lá!".

Uma manhã, na Escola Ciranda, Duda, de cinco anos, disse balançando a saia no final de um conto: "Eu fiz os movimentos da moça, eu era ela, acho que tava lá...". Outra vez, enquanto contava ao ar livre a história indiana "A falsa velha", ela disse que era a princesa Flor de Lótus e sua amiga Tainá escolheu ser a princesa irmã, Gota de Orvalho. Em um momento do conto as duas são separadas, pois Gota de Orvalho é raptada. Durante o rapto ela arrebenta seu colar de pérolas, rasga um pedaço do barrado do vestido e vai envolvendo cada pérola em um pedacinho de pano, semeando o caminho com aquelas trouxinhas na esperança de que sua irmã siga seu rastro e a encontre.

Terminada a história, contei outro conto indiano, "Chitrangada", e então Duda quis ser a heroína, uma princesa guerreira. Enquanto escutava cavoucando o chão de terra com um pauzinho, ela surpreendentemente encontrou uma miçanga na forma de pérola, restos do colar de alguma outra atividade. E começou a pular, radiante: "Olha! Igual a Flor de Lótus! Achei a pérola! Então eu tava lá nas duas histórias ao mesmo tempo, porque eu era a princesa da primeira história e a guerreira de agora!".

A fórmula "Eu tava lá" do final dos contos populares acaba dando margem à criação de uma história dentro da história por parte das crianças. Geralmente elas não se conformam com os docinhos caindo no chão da Ladeira do Escorrega e manifestam sua indignação, dando novas sugestões: "Mas por que você não colocou uma tampa no pote? Devia ter usado um Tupperware!", "Você devia ter embrulhado os brigadeiros...", "Eu trouxe os docinhos na minha boca e fui cuspindo pra dar pra todo mundo, aí eles não caíram no chão, né?".

E as crianças adoram "se colocar lá": "Eu tava lá e se escondi na sua saia, você não me viu!", "Eu tava embaixo da mesa, você nem me viu também. Comi todos os docinhos!" (registre-se que os pais dessa criança adotam uma alimentação sem açúcar...), "Eu também tava lá, fantasiado de guardião!", "E eu fantasiada de sereia!", "Eu não tava lá não. É imaginação isso, né?".

Um dia, enquanto contava histórias em uma apresentação, um menino começou a pular sem parar ao meu lado, nas minhas costas, embaixo da minha saia. Como o conto naquele momento descrevia uma floresta, incorporei aquela criança à história: ele era o macaco da mata. E ficou macaqueando até o final, atraindo outros macacos para o espaço cênico. A "arte" foi então conduzir a "bicharada" ao longo da narrativa... Por fim, encerrei a história dizendo: "E um macaco pulou, e esta história acabou!".

Contar histórias para crianças é deixar a expectativa da apresentação perfeita de lado e realmente dançar de acordo com os encontros e desencontros da experiência viva, reger toda e qualquer forma de participação, integrando-a à narrativa.

Contar histórias para crianças é entregar o controle e o planejamento à maestria do imprevisível. Somente assim será possível perceber que tudo o que acontece durante a história faz parte dela, em sintonia mágica, muito mais que perfeita.

ERA UMA VEZ
Na embocadura da sala de aula

> *Deve haver um momento mágico para começar e terminar uma história, como se fosse uma reza, o início e o fim de uma cerimônia sagrada.*
>
> Gilka Girardello, contadora de histórias

A embocadura é a parte do freio que fica no interior da boca de um cavalo e está ligada às redeas. Pode ser também o posicionamento dos lábios quando se toca um instrumento de sopro. Ou ainda a foz, a entrada ou o início de um rio. Quando pensamos em contar histórias na sala de aula, esbarramos em uma série de perguntas: como conduzir o conto-montaria? Como fazer soar o espírito da história? Como principiar o curso de uma narrativa?

Ideal seria não haver o freio de uma hora marcada para se contar histórias para crianças pequenas, os contos deveriam permear toda a vida delas, no instante de um pedido. Mas como não é essa a realidade em sala de aula, quanto mais entregues ao tempo-galope sem tempo do eternamente de novo estivermos ao contar histórias, melhor.

Imersas no universo das imagens, é como se as crianças

enxergassem o mundo através de um caleidoscópio, mergulhadas na unidade da figura formada por todos os cacos. Encontram-se inicialmente regidas pelo tempo circular, o tempo acima do tempo que é o tempo eterno, o tempo dos ciclos da natureza, o tempo de um piscar de olhos que guarda dentro dele todo o universo, o tempo interno, ou seja, o tempo das experiências que expandem o espaço de dentro: o brincar, o sonho, a imaginação.

Como trazer esse tempo sem tempo para as salas de aula? Como abrir os portais para que as histórias entrem? Uma cantiga, uma adivinha, uma vela acesa, uma brincadeira, um sino, um chocalho, um tambor podem "chamar", soprar o espírito da história. Instrumentos criados por nós também podem desempenhar esta função, como um tubo de PVC girando e reproduzindo uma atmosfera de mistério e magia, sementes diversas dentro de um pandeiro trazendo o balanço do mar quando escorrem de um lado para o outro, ou um molho de chaves penduradas em uma peneira ecoando o chamado da história. É interessante observar que cada um deles esteja em sintonia com o conto que estiverem chamando.

As crianças costumam apreciar a função de chamar a história. A cada dia uma delas pode, por exemplo, assumir o toque de um sino acima da cabeça das outras, enquanto todas juntas estiverem cantando, de olhos fechados, alguma cantiga.

Para chamar o conto, o educador contador também pode ir tecendo relações entre as histórias ao longo dos dias: "A história que eu vou contar hoje aconteceu muito tempo atrás, dentro de uma gruta que ficava bem perto da floresta da história que contei ontem". Ou então, pode relacionar o reino de uma história ao reinado de outra, contando que os dois eram vizinhos, uma mesma árvore pode ser o cenário de contos diferentes, o gigante de uma história era primo do *troll* de outra, a madrasta de um conto já tinha certa vez encontrado a bruxa de outro, e assim por diante.

Desse modo, as crianças vão identificando uma teia comum entre as histórias, *do lado de lá*, percebendo que, de alguma forma, todos os contos pertencem a um mesmo tempo e espaço. Muitas vezes as crianças tecem espontaneamente relações entre as histórias.

O contador deve tecer sua relação com as crianças, olhar para todas elas a fim de que cada uma se sinta única, tendo a certeza de que a história está sendo contada para ela. Não podemos esquecer nunca que a presença, o olhar penetrante e o silêncio profundo do contador podem ser mais eficazes que qualquer outro recurso externo.

PALAVRA DE CRIANÇA

Caio, de cinco anos, contou a seguinte história depois de ter aprendido a palavra "eternamente" em um conto que escutou:

"Eu sonhei com um pesadelo (eu vou fingir que era aqui na escola) que eu e a mamãe, a gente via um lagarto, mas a gente nem ligou. Da próxima vez (finge que aqui era a boquinha do lagarto) aí a mamãe foi botar o dedo pra ver que espécie era, ele quis avançar, porque ele era carnívoro. Aí eu fiquei com medo e se escondi (tipo aqui, era uma folhagem), quando ele tava aqui de mim, assim bem perto, eu fui mais pra frente e ele avançou assim *zup!* (eu fiz *zup!*, mas ele não fez barulho nenhum, ele só veio com a boca) e foi aí que eu dei o grito e acordei.

Eu tentava dormir de novo e não conseguia. E a mamãe falava: é que você tá pensando no lagarto, tem que pensar em flores, em festa de aniversário, ela eternamente repetia de novo. Mas o lagarto eternamente aparecia de novo. Sabe o que é eternamente? É de novo, fazia a mesma coisa para sempre.

Se ele ainda existisse, eternamente eu queria ele lá, o São Jorge. Com a lança na boca do lagarto. Aí mais nada. Eternamente para sempre. Fim." ∎

A cultura popular brasileira oferece inúmeros exemplos de formas de iniciar ou encerrar histórias, ou seja, formas de abrir e fechar portais. Assim como os ciclos de manifestações populares costumam envolver "cheganças" e "despedidas".

Os nossos contos populares guardam as marcas do caminho que se percorre da vida cotidiana para a fantasia e desta novamente para a vida cotidiana. Como diz Lydia Hortélio, essas formas têm um ritmo próprio e devem ser usadas de acordo com a atmosfera do conto:

> Entrou por uma porta
> Saiu pela outra
> Rei meu senhor
> Que lhe conte outra
>
> Entrou pela porta
> Saiu pela fechadura
> E quem gostou da minha história
> Que me dê uma rapadura.
>
> Entrou pela perna do pato
> Saiu pela perna do pinto
> E quem quiser
> Que me conte cinco
>
> Entrou pelo bico do pinto
> Saiu pelo bico do pato
> E quem quiser
> Que me conte quatro

Diz que era uma velha
Chamada Vitória
Morreu a velha
E acabou-se a história

Diz que era uma velha
Escondida na moita
Esticava uma perna
Encolhia a outra

E outras tantas inventadas pelas próprias crianças:

Entrou pela perna da Marina
Saiu pela perna do João
E quem gostou da minha história
Me dê um pedaço de pão

Entrou pela perna do João
Saiu pela perna da Marina
E quem gostou da minha história
Me dê uma gelatina

Ou pelos professores:

E uma estrela no céu brilhou
E a nossa história se acabou

Do céu caiu muita fulô
Um pássaro avoou
E a nossa história começou

Entrou pela gema amarela
Saiu pela casca do ovo
Quem gostou da minha história
Quero ver contar de novo

> A história voou longe
> Como belo passarinho
> Encontrou seu coração
> E dentro teceu um ninho

Quanto mais experimentarmos o uso desses pequenos portais nos contos, mais familiarizados ficaremos com eles. Passaremos a saboreá-los em suas múltiplas qualidades: versinhos que trazem uma atmosfera engraçada, lírica, serena, surpreendente, instigante, estranha etc.

Desde sempre, em qualquer rito dentro do universo mítico, a experiência vivida no instante presentifica, atualiza. O instante de contar e ouvir histórias partilha dessa ritualização.

> Dizem que o que todos procuramos é um sentido para a vida. Não penso assim. Penso que o que estamos procurando é uma experiência de estar vivo. [...] Experimentar a eternidade aqui mesmo e agora, em todas as coisas, não importa se encaradas como boas ou más, esta é a função da vida. (CAMPBELL, 1990, pp. 14 e 81)

A experiência do "Era uma vez" envolve esse instante eterno, a vida inteira deslizando no tempo de um piscar de olhos. Quanto mais o educador contador estiver presente na foz do instante, mais eterno e verdadeiro ele será para as crianças que o escutam.

DIÁRIO DE BORDO

Cem fórmulas para rotinas sem fórmulas

Certa vez, observei que meus alunos cobravam a participação no ritual diário de tocar o sino acima da cabeça dos amigos para chamar a história. Com a mesma insistência, solicitavam o cumprimento dos rodízios de colo na hora do conto, a ponto de ficar estipulado que a criança responsável por chamar a história sentava-se no colo da contadora. Fazíamos muitos "combinados" e no final todas elas se alternavam felizes nas duas participações.

Sabemos todos que de uma hora para outra, num piscar de olhos, a harmonia pode se desequilibrar, e o colo feliz que as histórias oferecem pode se transformar em cama de espinhos, tornando a experiência desafiadora. Houve um tempo em que um grupo de meninos de cinco e seis anos começou a questionar o final dos contos, arremedando e caçoando do "viveram felizes para sempre": "Já sei, já sei, sempre, sempre, sempre, viveram felizes para sempre, blá, blá, blá!".

Perguntei: "Mas vocês queriam que eles não vivessem felizes para sempre?". E um deles retrucou: "Não, não é isso, a gente queria que você falasse outra coisa". Fiquei um instante em silêncio e então disse: "Outra coisa. Assim foi, quem não tem cavalo monta no boi". Eles começaram a rir. Desenrolei uma série de fórmulas inusitadas de encerramento de contos populares e eles adoraram a ideia.

Começaram a brincar com os versos, criando novos num "repente". Essa brincadeira ecoou por dias, permeando outras atividades e restaurando a harmonia perdida.

Este é apenas um exemplo de como a experiência do educador contador precisa ser inventada e reinventada, no instante eterno de um piscar de olhos.

BOCA DE CENA
Preparação do espaço
e elementos cênicos

É a história que me conta como quer ser contada!

Regina Machado, contadora de histórias

Nas palavras de Maria Amélia Pereira, "desenvolver uma educação onde a dimensão sensível esteja presente é, ao mesmo tempo, um sonho, uma aspiração e um compromisso" (2013, p. 34). A arte de contar histórias pertence à educação da sensibilidade.

Na hora da história, a sala de aula precisa ser sonhada e transformada nesse coração sensível. Como preparar o espaço da história? Em primeiro lugar, é importante afastar cadeiras e mesas, abrindo um espaço circular, a fim de que a história possa circular na troca entre os olhares, sem que ninguém fique de costas para ninguém.

Muitas vezes, modificar a organização da sala pode gerar desconforto, perturbando a "ordem" da escola, atrapalhando os colegas ao lado com barulho, e não ser bem-recebida. Mas não podemos perder de vista que uma educação da sensibilidade envolve trabalho contínuo e paciente, "de formiguinha". Ou seja, aos poucos, de mansinho, a perseverança consciente pode vir a transformar e conquistar o seu entorno.

É preciso tomar cuidado com cenários estereotipados carregados de imagens veiculadas pela mídia, que acabam poluindo visualmente o lugar da história. Este tipo de imagem ocupa o cenário da imaginação e empobrece a história, na medida em que traz apenas uma forma de se ver a cena ou o personagem, ao invés de permitir a pluralidade imaginativa. É interessante que o espaço da história promova a criação das imagens de cada um e, por isso, apenas evoque a atmosfera do conto.

O espaço deve ser imantado de harmonia estética e é interessante que as crianças participem de sua criação. Elas podem ajudar a construir uma tenda, sabendo que a história irá chegar lá dentro dela. "Vamos fazer uma bacana?", pediu Dora, de dois anos, referindo-se à cabana da história. A cabana pode ser improvisada com tecidos de diversas texturas e estampas, amarrados uns aos outros com nós ou pregadores de roupa. Também pode ser confeccionada por todos, tornando-se, a partir de então, um elemento utilizado no instante da história, seja como chão para as crianças se sentarem ou se deitarem, seja como teto, ou ainda como uma porta ou janela para *o lado de lá*, o mundo da história. Cortinas feitas pelas crianças com longos colares de miçangas ou pequenas peças de argila com furos em fios de nylon também podem funcionar como portais para as histórias.

A sala pode ser escurecida, com os vidros das janelas cobertos com tecidos ou desenhos feitos pelos alunos. Eles podem criar juntos uma lanterna ou candeeiro e aprenderem desde cedo a ritualizar o momento da história. Acompanhando o momento em que o educador contador acende a chama na sala escura, estarão atualizando a experiência de tantos e tantos contadores na memória dos tempos, que narravam seus contos ao redor da fogueira, na beira do fogão a lenha, à luz dos castiçais... ou "castissol", como disse uma criança.

Contos podem ser contados dentro de um trem feito com caixas de papelão, cada criança em seu vagão enfeitado por ela. São inúmeras as formas! O importante é que o educador esteja criativamente envolvido e que seu envolvimento contagie as crianças.

Contudo, nunca devemos nos esquecer de que o espaço vazio pode se tornar o melhor tapete voador para as histórias. O cenário da história criado com intencionalidade concretiza-se na imaginação dos ouvintes. As crianças podem entrar em foguetes imaginários, fazendo a contagem regressiva de olhos fechados, até serem lançadas no espaço do conto. Ou todos dentro de um barco, remando juntos até uma ilha onde a história será contada. Ainda, cada criança imaginando uma rosa em seu coração, com a cor que quiser, para, em conjunto, criarem o jardim onde a história irá desabrochar. São infinitas as possibilidades que devem dialogar com o conto a ser narrado. E a presença do educador contador em sintonia com a história que logo será compartilhada já cria um campo espacial que envolve as crianças em teia invisível!

As histórias também podem e devem ser contadas do lado de fora da sala, ao ar livre, durante uma brincadeira no tanque de areia ou embaixo de uma árvore, se houver essa possibilidade. As crianças podem pendurar enfeites feitos por elas na árvore, caracterizando-a como a árvore da história.

Do mesmo modo, o uso de elementos cênicos deve estar a serviço dos contos. É interessante que os elementos, bem como o espaço da história, abram caminho para a imaginação e, portanto, não sejam traduções literais, mas apenas sugestões, esboços do que está sendo contado, para que a imagem se complete em cada um dos ouvintes.

Elementos cênicos podem caracterizar personagens, chamar um conto, pontuar passagens da história, traduzir climas. Um pedaço de pano pode vir a ser um rio; uma bola de gude dentro de uma caixinha pode se transformar em um tesouro; um tambor pode se tornar um chapéu; um arco de fitas pode ser uma porta ou uma janela; uma cabaça pode sugerir um personagem. Até mesmo um guarda-chuva de frevo pode representar um realejo de histórias, com versinhos em cada uma das pontas, sugerindo o conto escolhido.

Adelsin (2008) fala sobre o barangandão – um objeto (uma pedra, um caroço de fruta, um pedacinho de pau etc.) amarrado a uma linha. Segundo ele, o barangandão arco-íris nasceu em Salvador, na Bahia, quando as crianças misturaram papel crepom ao brinquedo que já conheciam. Esse novo brinquedo de crianças pode ser feito a partir de um "sanduíche de jornal", dobrado bem pequeno para dar peso, e tiras coloridas de papel crepom "para colorir o céu", amarrando-se tudo muito bem com barbante. Então, é só girar muitas e muitas vezes e jogar para o alto! O brinquedo pode se transformar em uma estrela cadente, em um peixe-voador, em um redemoinho...

Quanto mais o contador de histórias conseguir brincar com o elemento escolhido, mais estará favorecendo o exercício de imaginação por parte dos que estiverem ouvindo a história. O importante é que o contador e o elemento cênico estejam em harmonia e se integrem de modo orgânico, como se o elemento fosse uma extensão do corpo do narrador, em uma relação de unidade. Ele precisa se sentir à vontade, dominando o elemento com intimidade para que este não se transforme em um "elefante branco" em sua mão, roubando a cena e limitando a imaginação da plateia.

Muitas vezes observamos uma supervalorização do elemento em detrimento da história: pouco importa o que será contado, o importante mesmo é usar, por exemplo, bolas, panos ou eletrodomésticos para contar aquela história! Os elementos cênicos não devem nunca ser mais importantes que a história em si; eles precisam dialogar com o conto, em uma relação de atribuição de significado. Outro aspecto importante é a qualidade desse elemento. Ele deve favorecer uma experiência estética, encantar com sensibilidade, transportar para além do cotidiano, remetendo o ouvinte ao mundo dos sonhos e das histórias.

É interessante usar elementos artesanais, como cestos de palha, objetos de barro, de madeira, rendas etc.; elementos da natureza, tais como sementes, flores, pedras, conchas, água, areias coloridas; ou ainda, objetos antigos que façam parte da memória afetiva do contador, como uma caixinha de música, um espelho, um leque, uma xícara de porcelana, um castiçal, uma roca de fiar etc.

Explorar a surpresa também é um recurso envolvente quando contamos histórias para crianças. Um elemento que sai de dentro de um cesto, de dentro de um baú, de uma caixinha, de uma panela, de um chapéu, de um saco... A história pode escapar de dentro de um colar relicário! A psicanalista junguiana e contadora de histórias Clarissa Pinkola Estés relata que assim como as bonecas russas *matrioshkas*, também conhecidas como *mamushkas*, "há diversas histórias que se encaixam umas dentro das outras" (1998, p. 7). Uma história pode sair de dentro de um elemento e ter outra história-elemento dentro dela que, por sua vez, pode evocar outra história através do elemento contido dentro daquela...

Mas é sempre bom lembrar que contadores de histórias podem ou não usar elementos para contar histórias. Muitas vezes se equivocam, acreditando que quanto mais elementos usarem, mais conseguirão "prender" a atenção dos ouvintes. Em Minas Gerais, assistindo a uma apresentação dos Miguilins de Cordisburgo, grupo de crianças e adolescentes da terra de Guimarães Rosa que contam trechos de suas obras, é possível confirmar exatamente o inverso: a palavra, o olhar e o gesto do contador ainda são as formas mais antigas e sempre atuais de encantar.

DIÁRIO DE BORDO

Mil e uma possibilidades de um tecido colorido

Certa vez, quando eu trabalhava na Casa Redonda, recebemos a doação de um "balão", como costuma ser chamado nas propostas e formações conhecidas como "jogos cooperativos". O imenso tecido redondo lembrava um paraquedas, todo fatiado em gomos coloridos, com um pequeno orifício ao centro por onde podia passar uma bola de tênis. Esse elemento dançou com as crianças, testemunhando muitas histórias.

Imediatamente, a partir da imaginação delas, ele se tornou uma saia na roda tradicional e história brincada "Margarida", e por isso precisamos pedir a uma costureira que abrisse o orifício para que as crianças pudessem vestir o balão.

Costumo contar que a Margarida é prima-irmã da Rosa, da brincadeira de roda "A linda rosa juvenil", narrativas da alma aprisionada que precisa se libertar, da alma adormecida que precisa ser despertada.

> **MARGARIDA**[14]
> Onde está a Margarida, olê olê olá
> Onde está a Margarida, olê seus cavaleiros
> Margarida tá no castelo, olê olê olá
> Margarida tá no castelo, olê seus cavaleiros
> Quero ver a Margarida, olê olê olá
> Quero ver a Margarida, olê seus cavaleiros
> Mas o muro é muito alto, olê olê olá

---

14 Comunicação oral em oficina "A voz do conto". Casa Redonda, 2001.

> Mas o muro é muito alto, olê seus cavaleiros
> Vou tirando uma pedra, olê olê olá
> Vou tirando uma pedra, olê seus cavaleiros
> Uma pedra não faz falta, olê olê olá
> Uma pedra não faz falta, olê seus cavaleiros
> Vou tirando duas pedras [...]
> Apareceu a Margarida, olê olê olá
> Apareceu a Margarida, olê seus cavaleiros!

Originalmente, as crianças seguram as pontas da saia da criança no papel de Margarida, que fica ao centro, formando as pedras do muro do castelo ao redor. Inicia-se então uma conversa entre o cavaleiro que se dispõe a libertar Margarida e as pedras do muro. Cada pedra vai sendo tirada pelo cavaleiro, até não sobrar nenhuma, e então são cantados os versos "Apareceu a Margarida, olê olê olá/ Apareceu a Margarida, olê seus cavaleiros!". No nosso caso, a Margarida ganhou uma saia gigante!

Logo as crianças pediram que eu vestisse a tal saia e ela foi se transformando em uma barriga de mãe, as crianças nasciam e retornavam para dentro dela – alguns filhos também brigavam debaixo da saia da mãe. Depois, ela se transformou em uma espécie de pique para onde corriam as crianças quando o seu Lobo ficava pronto, na brincadeira tradicional que tem como personagens uma mãe, que em nossa experiência vestia a saia gigante, muitos filhos e um lobo. Os filhos começam a brincadeira cantando, e o lobo improvisa respostas à pergunta que as crianças fazem a ele.

> **Crianças:** Vamos passear na floresta enquanto seu Lobo não vem, tá pronto seu Lobo?
> **Lobo:** Não, estou catando meus piolhos.

Crianças: Vamos passear na floresta enquanto seu Lobo não vem, tá pronto seu Lobo?
Lobo: Não, estou coçando meu bigode.
Crianças: Vamos passear na floresta enquanto seu Lobo não vem, tá pronto seu Lobo?
Lobo: Não, estou tirando uma soneca.
Crianças: Vamos passear na floresta enquanto seu Lobo não vem, tá pronto seu Lobo?
Lobo: Sim!!!

Nesse momento, todos correm para debaixo da saia da mãe e o filho que não conseguir se proteger e for pego se torna o lobo para a rodada seguinte. Brincadeira constantemente reinventada no movimento das crianças. Os lobos pegos, por exemplo, podem se tornar filhos do lobo pegador, ou seus prisioneiros, de modo que a mãe e os outros filhos livres terão que imaginar formas para libertá-los. E assim infinitamente.

A coroação do processo com o tecido veio mais tarde, quando um grupo de crianças me pediu que cobrisse a casinha que construíam com caixotes de madeira: "Vamos fazer o teto com aquela 'saia-mãe'? Aquela gigante!". A saia passou a ser telhado e criamos uma espécie de "casa-mãe" ou "barriga-casa". Pediram para contar histórias lá dentro e Maria Clara, de cinco anos, levantou-se e começou a olhar pelo orifício aberto ao centro. Perguntei: "O que foi?". E ela respondeu: "Eu tô espiando o mundo lá fora pelo buraco do umbigo...".

Observar como a criança se apropria de um elemento em suas brincadeiras, trazendo múltiplas recriações, é a melhor escola, pois o contador de histórias deve olhar o objeto cênico através do olhar da criança. "Espécie de lâmpada de Aladino, o brinquedo se transforma nas mãos da criança numa diversidade incontável, imprevista e maravilhosa" (CASCUDO, 1976, p. 145).

Muitas e muitas vezes, a participação nas histórias brincadas com as crianças, pedindo que elas me fantasiassem com recursos que tínhamos disponíveis (tecidos, tules, coroas, saias, colares etc.), abriu campos de inspiração para mais tarde desenvolver diversos figurinos de apresentações. O elemento que uso para contar a história "A Véia da Gudéia" nasceu assim, quando uma criança pediu para pendurar uma cabaça em um pedaço de pano. Depois disso, resgatei um velho xale de tricô feito pela minha "bruxavó" e amarrei nele muitas cabacinhas, de modo que o elemento em si já sugere a imagem dos "esqueletos em pé" que povoam o conto. Costumo tirar o xale de um saco de estopa, uma alusão à figura do velho com seu surrão, no caso uma "mulher do saco".

A roupa do contador de histórias pode ser totalmente neutra ou então conversar com a atmosfera da história, prezando a qualidade estética. "A princesa de Bambuluá", por exemplo, que é um conto popular brasileiro recolhido por Câmara Cascudo da boca de Francisco Idelfonso, o Chico Preto, narrador analfabeto e negro, ganhou um figurino inspirado nas danças dos orixás, a partir de diversas miçangas.

NA BOCA DA HISTÓRIA
Exercícios de aproximação do conto

Quem olha para fora, sonha.
Quem olha para dentro, desperta.

Carl Gustav Jung

É fundamental que o educador fertilize seu acesso às imagens internas, favorecendo a experiência do "Eu tava lá" na hora de contar uma história. Se o contador *estiver lá* nos contos, enxergando, sentindo, farejando suas imagens particulares, poderá contá-los de modo que as crianças sintam e recebam essa relação viva com a história.

Mikan, aos cinco anos de idade, ouvindo histórias disse certa vez: "Eu tenho uma tela no meu celebro! Não, eu tenho uma tela atrás do meu olho...". Contar a história "por dentro", assisti-la "na tela atrás de nossos olhos" é um diálogo essencial a ser estabelecido entre o conto e o contador.

Neste capítulo proponho alguns exercícios de aproximação deste "eu tava lá na tela atrás do meu olho", relacionados à estrutura, aos climas e aos personagens dos contos. Muitos deles foram aprendidos com Regina Machado, Inno

Sorsy[15] e Mônica Jurado. Outros foram intuídos e desenvolvidos empiricamente ao longo dos anos.

Estrutura

Minha avó materna costumava apagar as luzes do seu quarto dizendo: "Agora vamos para dentro da barriga da vaca". E ali, na escuridão encantada da barriga da vaca, muitas histórias eram contadas abrindo clareiras. Uma das minhas preferidas era "O papagaio real", que reencontrei anos mais tarde. Ou talvez eu tenha sido encontrada pela história. Para contá-la uso um tecido de seda azul com um dos lados preenchido por fitas brancas de cetim, elemento que criei depois de ter aparecido "na tela atrás do meu olho", numa espécie de visão. O tecido vai se transformando ao longo da narrativa, esboçando as cenas, assim como as palavras de minha avó desenhavam o conto dentro da barriga da vaca.

Partiremos dessa história para o estudo da estrutura do conto tradicional. A estrutura é o fio da narrativa, ou seja, a sequência das partes fundamentais da história, o "esqueleto" que se encontra embaixo de sua roupagem pessoal e cultural.

---

15 Inno Sorsy é uma contadora de histórias africanas. Ela vive em Londres, na Inglaterra, e esteve no Brasil em 2001, convidada a participar do I Encontro Internacional Boca do Céu de Contadores de Histórias, criação e curadoria de Regina Machado. Ver <http://bocadoceu.com.br/>.

INSTANTE DO CONTO: O PAPAGAIO REAL[16]

Era uma vez duas irmãs. A mais nova era linda e muito bondosa; a mais velha era malvada, invejosa, briguenta e também muito preguiçosa. Elas viviam juntas na mesma casa, eram órfãs de pai e mãe, mas cada uma tinha seu quarto. Já fazia algum tempo que a irmã mais velha vinha escutando um barulho forte de asas batendo e também uma voz de homem que saía lá de dentro do quarto da outra.

Ela foi ficando curiosa, desconfiada. Uma noite resolveu espiar pelo buraco da fechadura e viu uma bacia cheia de água no chão do quarto da irmã mais nova. As janelas estavam abertas e o vento entrava, balançando as cortinas. Quando deu meia-noite, um papagaio enorme, reluzente e majestoso, pousou na janela, voou baixinho até a bacia e ficou se sacudindo lá dentro, espalhando água por todo canto. Cada gota de água que caía virava uma gota de ouro, salpicando de brilhos o quarto da moça. Quando o chão ficou parecendo um imenso tapete dourado, o papagaio saiu do banho e se transformou no príncipe mais formoso do mundo. Os dois se abraçaram como noivos que já se gostavam e se visitavam há muito tempo.

A irmã mais velha ficou roxa de inveja e resolveu fazer uma malvadeza. No dia seguinte, de tardezinha, foi escondida até o quarto da irmã mais moça, encheu o parapeito da janela de cacos de vidro e colocou uns cacos ainda mais afiados dentro da bacia. Quando deu meia-noite, o papagaio real veio voando, voando, pousou na janela e se cortou todo. Desesperado, ele foi lavar as feridas na bacia e se cortou ainda mais. A moça ficou assombrada, sem compreender como uma coisa horrível daquelas podia estar acontecendo. Desta vez o papagaio não se transformou em príncipe. Ele foi se arrastando com dificuldade até a janela e disse: "Sua ingrata! Por que é que fez isso comigo? Você dobrou o meu encantamento! Nunca mais voltarei aqui. Se quiser me ver agora, só lá no Reino de Acelóis". Abriu as asas machucadas e desapareceu voando e sangrando na noite escura.

A moça quase se acabou de tanto chorar, mas ela respirou

---

16 Adaptação de Cristiane Velasco para o conto homônimo recolhido por Câmara Cascudo (2001) e informado por Benvenuta de Araújo, em Natal, Rio Grande do Norte.

fundo, juntou todas as suas coisas e foi embora de casa; partiu pelo mundo afora em busca do seu noivo, o papagaio real. Andou, andou, andou, até que uma noite se viu sozinha no meio da mata. Com medo dos bichos ferozes, resolveu subir numa árvore para ver se conseguia descansar, protegida lá no alto. Quando já estava bem escondida no meio das folhas, começou a ouvir a voz misteriosa de uns bichos que se aproximaram:
— De onde você vem?
— Eu venho do Reino do Sol, e você?
— Eu venho do Reino da Lua, e você?
— Eu venho do Reino dos Ventos...
No outro dia, quando aqueles bichos sumiram no meio do mato, a moça desceu da árvore e continuou seu caminho. Ao anoitecer ela chegou a outra mata e, com medo de ser devorada pelos bichos, subiu numa árvore, como da outra vez, e novamente começou a ouvir uma conversa esquisita dos bichos que chegaram:
— De onde você vem?
— Eu venho do Reino da Estrela, e você?
— Eu venho do Reino do Arco-Íris, e você?
— Eu venho do Reino de Acelóis.
Quando a moça ouviu "Acelóis" (não era esse o nome?), seu coração bateu forte e ela aprumou os ouvidos para ver se escutava mais um pouco:
— E que novidades você me traz do Reino de Acelóis?
— O príncipe está doente e ninguém sabe como tratar dele...
No dia seguinte, a moça desceu da árvore muito preocupada com o príncipe e seguiu, sempre no rumo daquelas vozes, até o anoitecer. Quando escureceu ela estava dentro da mata e, como de costume, subiu numa árvore e lá ficou esperando notícias do Reino de Acelóis:
— Há, há, há, hi, hi, hi, de onde você vem, hein?
— Eu venho do Reino de Acelóis, e não tem graça nenhuma!
— Hi, há! Tem sim, eu sou o Bicho da Risada, e lá de onde eu venho tudo é cheio de graça! Hu, hi, há, vamos, conte logo, como vai o príncipe?
— Vai mal, coitado, não tem remédio...
— Ora, como não tem? Eu venho do Reino da Alegria, onde existe remédio para tudo! Mas eu não conto, hi, hi, hi! Brincadeirinha, eu conto sim, escute, escute... O remédio é ele be-

ber três gotas de sangue do dedo mindinho de uma moça que goste muito dele, hi, há! Pronto, contei.

De manhãzinha, com o coração avoando de esperança, a moça apressou o passo na estrada. Finalmente, quando o sol foi se escondendo longe, atrás do horizonte, ela avistou o Reino de Acelóis, onde só se falava na incurável doença do príncipe. Então a moça se pôs bonita e foi até o palácio falar com o rei: "Rei, senhor, eu vim até aqui depois de longa viagem e me atrevo agora a dizer que posso curar o príncipe seu filho, mas com uma condição: apenas se o rei me der metade de tudo o que lhe pertence, num acordo de tinta e papel passado, assinado e carimbado. Se não, nada feito!

O rei, que estava preocupadíssimo com a saúde do filho, acabou fazendo o tal acordo de tinta e papel passado, assinado e carimbado, e entregou metade de tudo o que possuía àquela moça. Muito satisfeita, ela foi até o quarto do príncipe. Lá estava ele, coitado, tão pálido, descansando na cama... Mesmo assim, é certo que continuava sendo o jovem mais formoso do mundo! A moça encheu um copo com água e colocou na mesinha de cabeceira. Então, ela espetou o dedo mindinho com uma agulha, espremeu bem e deixou pingar três gotas de sangue na água. Fez a mistura, pegou o copo, sentou-se na beirada da cama, ergueu a cabeça do príncipe e deu de beber a ele. No mesmo instante o príncipe abriu os olhos, já muito corado, e reconheceu a moça – era a sua noiva que ele tanto amava! Os dois se abraçaram, se explicaram, se desculparam e se entenderam numa alegria por demais!

O rei ficou contente da vida ao ver seu filho curado, mas, quando soube que aquela moça já era noiva do príncipe há muito tempo, desde a época em que seu filho ainda estava encantado na forma de um papagaio real e a visitava todas as noites, ele ficou furioso: "Como? Meu filho, um príncipe de sangue real, se casar com uma mocinha que não é princesa nem nada? Isto nunca!".

Com muita tranquilidade, a mocinha, que não era princesa nem nada, se aproximou e disse: "Tudo bem, meu rei, senhor. Eu já ia mesmo indo embora, mas o senhor se lembra daquele acordo que fizemos? De tinta e papel passado, assinado e carimbado? Pois agora eu tenho a metade de tudo o que lhe pertence, não é? Tenho metade das suas terras, metade do seu trono, metade da sua coroa, metade do seu bigode... O prínci-

> pe, que eu saiba, é *seu* filho, mas se o rei não quiser que eu me case com ele, juro que não me importo; vou cortar o príncipe ao meio e levarei a metade que me cabe para casa!".
> Quando o rei ouviu aquilo e imaginou seu filho sendo cortado ao meio feito um porco, ele não teve outra saída e declarou: "Palavra de rei não volta atrás". (Ainda mais palavra de tinta e papel passado, assinado e carimbado...) O rei então acabou dando o seu consentimento para aquela união. O príncipe e a moça se casaram numa festa linda! Foi um baile sem fim, no palácio todo iluminado, com cheiro de flores. A noiva estava muito bonita, feito os amores! E eles viveram felizes na terra, assim como os anjos no céu. ∎

Segundo Câmara Cascudo, "O papagaio real" encontra variantes na "Finlândia, Lapônia, Dinamarca, Noruega, Suécia, Sicília, Rússia, Grécia, Chile" (2001, p. 78). Na recolha de outro grande pesquisador da cultura brasileira, Sílvio Romero, o conto aparece na versão "O papagaio do limo verde" (2007, p. 74). Na versão aqui apresentada, um novo bicho misterioso foi introduzido à cena da floresta, o Bicho da Risada, roupagem da contadora de histórias sobre a estrutura do conto popular, novidade que surgiu espontaneamente em interação com as crianças e acabou por ser incorporada à história.

Interessante seria, como exercício, pesquisar algumas variantes, ou seja, eleger um conto e buscar suas versões nas mais diversas culturas. Nesse processo, pinçar uma estrutura comum e, uma vez destacada a estrutura, tecer roupagens pessoais, compondo nova versão da história, uma variante própria.

A partir do momento em que tivermos bem claro o fio de uma narrativa, enxergando a sequência "na tela atrás dos olhos", poderemos transitar livremente pelo conto e fiar com a audiência, dando mais linha à pipa da história, dando corda aos ouvintes, dando asas à imaginação, e sempre sabendo como retornar... Identificando e respeitando a estrutura de um conto, podemos criar a nossa "história da história" e realmente *estar lá*.

Para identificá-la, em primeiro lugar, é preciso ler e ouvir muitos contos. Também podemos nos familiarizar cada vez mais com esses fios estruturais ao dividir os contos em partes principais, unidades narrativas, cena por cena, atribuindo um nome a cada uma delas. A proposta do exercício é justamente perceber a máxima síntese do conto e o encadeamento das ideias, localizando as mudanças de cenas.

A título de exemplo, apresento um exercício realizado por um grupo de educadores[17], que dividiu "O papagaio real" em cenas:

- Cena 1. "As duas irmãs" – Apresentação das personagens e seus atributos.

- Cena 2. "Papagaio-príncipe" – A irmã mais velha desconfia dos ruídos e espia o papagaio se transformando em príncipe no quarto da irmã mais moça.

- Cena 3. "Inveja cortante" – A malvadeza da irmã invejosa deixa o papagaio ferido.

- Cena 4. "No coração da mata" – A moça sai em busca do papagaio real, seguindo as vozes da floresta.

- Cena 5. "Acordo" – A moça chega em Acelóis e, com astúcia, consegue metade de todas as posses do rei.

---

17 Exercício realizado no módulo "Contos e histórias tradicionais" do curso "A arte do brincante para educadores", ministrado pela autora no Instituto Brincante, São Paulo, em 2014.

- Cena 6. "A cura" – A moça cura o príncipe doente com as gotas de seu próprio sangue.
- Cena 7. "Oposição real" – O rei não concorda com o casamento e a moça relembra o acordo.
- Cena 8. "Festança" – O rei consente e o príncipe se casa com a moça.

Alguns educadores inicialmente separaram as três noites da floresta em cenas diferentes, enquanto outros chegaram à conclusão de que a ideia narrativa era a mesma, "a moça em busca, seguindo as vozes dos bichos misteriosos", e, dessa forma, abarcaram os três momentos em uma única cena.

Não há uma divisão certa ou errada de um conto; refletir sobre ela já é uma forma de se aproximar dele, apurando a capacidade de síntese. Uma vez realizada essa divisão, o educador pode continuar sua aproximação desenhando cada uma das partes, buscando símbolos que as representem, verbos que as traduzam etc. Geraldo Tartaruga, artesão e contador de histórias de São Luiz do Paraitinga, São Paulo, realiza intuitivamente esse exercício em seu artesanato. Ele modela personagens em barro e coloca as figurinhas coloridas dentro de uma cabaça cortada ao meio, compondo um pequeno cenário. O conjunto de cabaças ilustra, cena por cena, as histórias, os causos e as lendas contadas por ele.

É possível realizar, em grupos, um exercício de fotografias corporais: cada uma das partes da estrutura do conto deve ser representada a partir de composições-esculturas sem palavras, apenas através da linguagem dos corpos "congelados" no instante fotográfico de cada cena. É interessante que todos os integrantes do grupo participem de todas as fotografias na composição do espaço cênico, estando presentes das mais diversas formas: como árvores, plantas, trono, bacia, janela etc. E vale observar a continuidade visual do fio da narrativa. Por exemplo, se uma pessoa escolher ser o papagaio, ou a moça, é importante que permaneça neste papel ao longo das cenas, para que a leitura da sequência seja clara.

Contar em grupo, de olhos fechados ou abertos, passando de mão em mão na roda um objeto (um anel, uma pedrinha ou uma pena) que marque a mudança das cenas quando aquele que estiver contando resolver "passar a bola" para o outro, é um divertido exercício que traduz o "telefone sem fio" da oralidade. O objetivo nesse caso é justamente não perder o fio da narrativa, mantendo sua estrutura em meio a tantos testemunhos diferentes. Quando todos permanecem de olhos fechados nesse tipo de exercício, os educadores ficam menos preocupados com o olhar do outro, o que diminui a inibição na hora de contar a sua parte e aquela sensação de que o anel ou objeto circulante se tornou uma "batata quente" na mão que o recebe...

Em momentos assim, durante oficinas para educadores, a maioria costuma não se recordar do nome do reino do papagaio real e ele é imediatamente rebatizado, de modo que, ao longo dos anos, Acelóis ganhou inúmeras variantes: "Aceló", "Acerola", "Acelã", "Avelã", "Assolã", "Ancenlá", "Ancestral", "Eu sei lá", "Eu não tava lá!"...

Um exercício bastante significativo é o contador simplesmente fechar os olhos e procurar visualizar cena por cena, em silêncio e aguçando sua percepção. Contar a história "por dentro" é uma excelente forma de memorizar um conto, sem que para isso a história precise ser decorada. Nesse caso, a partitura do contador não é o texto decorado, e sim a lembrança, a memória de uma sequência de imagens assistidas quando abrimos as cortinas da "tela atrás dos olhos".

Quanto mais histórias o educador for conhecendo, quanto mais elas forem brincando em seu interior, mais familiarizado ele ficará com a identificação de suas estruturas na apropriação de um conto popular e, dessa forma, poderá deslizar naturalmente pelas cenas dos contos na hora de narrar.

Climas

Ao olhar por dentro do conto, é possível também aprender a saborear os climas das histórias, a riqueza de suas nuances. Regina Machado fala que o clima de cada parte de um conto é animado por determinada "pulsação" e que "dar vida a uma história é deixar-se conduzir pelas sucessivas mudanças em sua respiração" (2004, p. 55). Toda história tem coração. Ele pode bater acelerado, pode ficar irregular, pode bater baixinho, bem alto, doce, amargo, preciso, incerto, assustado, apavorado, apaixonado... É preciso seguir seu pulso a cada momento. A sequência de diferentes climas é o que movimenta a história, trazendo um ritmo próprio a cada narrativa.

Certa vez, Ana Ayume, de cinco anos, interrompeu "O papagaio real" de forma adorável e surpreendente com as seguintes palavras: "Você está cantando tudo errado! Porque quando a moça tá triste, ela tem que cantar triste, devagar, quando ela tá contente, ela tem que cantar contente, mais rapidinho, né? E você tá cantando tudo igual!". Que preciosa lição oferecida por uma criança em relação aos climas da história. Minha maneira de entoar as cantigas durante o conto não estava de acordo com o estado de espírito da personagem, pasteurizando as cenas, atenuando seu colorido.

É imprescindível que os cantos, quando usados para contar, estejam em sintonia com os contos, ou seja, tenham a mesma pulsação da cena que estiverem ajudando a compor. O critério para escolha de uma cantiga deve ser o ponto de convergência entre o clima da cena e a atmosfera da cantiga. No caso dos contos cantados, aqueles que já nascem com cantigas, estas inevitavelmente se encontram sintonizadas às histórias, em ritmo, melodia e letra.

Independentemente de haver ou não cantigas na história, devemos experimentar chegar o mais próximo possível da música oculta em cada cena. Para o contador da história, a palavra falada é música, e o texto, uma espécie de partitura. Os silêncios e as pausas também podem ser compreendidos como música. O escritor e matemático brasileiro Malba Tahan, heterônimo de Júlio César de Mello e Souza, afirma que é preciso

> narrar dando vida, sensibilidade e ação ao conteúdo da história. Para isso é necessário vibrar e viver, com os heróis e personagens, todas as situações e incidentes narrados, deixando transparecer através do jogo de expressão fisionômica, mobilidade dos olhos, gestos, modulações de voz, todos os sentimentos que os dominam. (1966, p. 54)

Para tanto, diz ele, o contador deve observar a velocidade, as pausas, as inflexões, o volume, as cores de cada momento. Pensando no conto "O papagaio real", poderíamos nos perguntar:

- Qual o clima da transformação do papagaio em príncipe? Que sons traduzem o momento do banho encantado? O banho é frenético? Lânguido? Bailado? Há luminosidade entrando pela janela? Qual o ritmo do balançar das cortinas? Quais as cores do quarto filtradas pela noite?

- Como expressar corporalmente o instante cortante em que a irmã mais velha se vinga da mais moça, ferindo o papagaio real? Quais os sons possíveis para esta cena? O quarto mudou de luminosidade? Como ele está agora?

- Qual o estado de espírito da moça em sua primeira noite na floresta? Como são as vozes misteriosas? Há algum aroma no ar? A noite está úmida? Quente? Chuvosa? E a textura das folhas, é possível senti-la?

- E na segunda noite? O tom das vozes é o mesmo? Mesmos aromas? Temperatura? E o estado da moça, ela está mais ou menos ansiosa? O que ela sente ao ouvir pela primeira vez o nome do tão procurado reino? E como ela fica, um instante depois, ao ouvir que o príncipe está morrendo? Como é o seu ânimo ao amanhecer?

- E na última noite? Qual a dinâmica das vozes? E o estado da moça quando percebe que somente ela pode salvar o príncipe? Qual o clima do amanhecer depois desta descoberta? Quais as cores do dia?

- Como é o tão procurado Reino de Acelóis? Há luminosidade? Qual o clima nas ruas? Há pessoas transitando? Como elas se sentem diante da morte iminente do príncipe?

- E o palácio? Qual sua atmosfera? Há densidade no ar? Qual a cor predominante lá dentro?

- Qual o estado de espírito da moça ao falar com o rei? Ela está segura? Ansiosa? Tem pressa? Sente medo? E o rei, que movimentos refletem seu estado?

- Como respira o quarto do príncipe? Está abafado? Ou há um frio de penetrar os ossos? Silencioso? Escuro? O que sente a moça ao reencontrar o seu amor? Qual o gesto dela no instante de cura? Como bate o seu coração? Acelerado ou irregular dentro do peito?

- Quais sons e movimentos podem traduzir a emoção do príncipe ao abrir os olhos? Como está o clima do quarto agora?

- Existe algum som que traduza a reação do rei? Qual o volume da música oculta nesta cena?

- Qual é o ritmo da aproximação da moça ao cobrar do rei o que havia sido acordado? Ela mostra ironia? Timidez? Diplomacia? Firmeza? Algum medo transparece em sua voz?

- Quais as cores da festa? Há danças? Música? De que tipo? Qual o clima de Acelóis no dia do casamento real?

Estes são apenas alguns exemplos de possíveis aproximações dos climas de um conto. Se o contador conseguir encontrar em seu corpo, como exercício de investigação e descoberta, movimentos e sons que expressem essas nuances; se buscar músicas que o remetam a elas; ou ainda, se experimentar a movimentação de tecidos diversos que possam traduzi--las; se ele puder apreender a intensidade, enxergar a luz e o colorido de sua relação com cada parte da história, esta experiência ficará imantada no tom de suas palavras ao contá-la.

Realizado o exercício de fotografias corporais relacionado à estrutura do conto e identificadas as cenas principais da história, os grupos podem também fazer a composição sonora de cada cena, seja de forma simples, com vocalizações e percussão corporal, seja por meio de instrumentos musicais variados (chocalhos, sinos, apitos, xilofone, tambores etc.). A ideia não é fazer sonoplastia, a ambientação externa das cenas, e sim trazer a vibração interna de cada parte, sua atmosfera. Muitas vezes, nesse momento, torna-se mais perceptível a divisão das partes do conto pelos educadores. Às vezes duas cenas anteriormente divididas passam, a partir desse exercício, a ser entendidas como uma única parte, por pulsarem da mesma maneira. E outras partes, que antes pareciam ser uma coisa só, acabam constituindo cenas diferentes, pela clara diferenciação dos climas.

Finalizado o exercício, os grupos podem brincar, trocando experiências e compondo o terceiro momento da atividade para os educadores: enquanto um grupo apresenta a composição cênica por meio das fotografias corporais, o outro realiza a composição sonora para cada fotografia, cena por cena, e vice-versa. Aos poucos, as fotografias estáticas podem ganhar movimento, num momento de intensa troca, afinando a respiração entre corpos e sons.

Dessa forma, podemos aprofundar nosso contato com os contos e, com a experiência, essa aproximação vai se tornando cada vez mais natural e orgânica.

Personagens

Nem sempre os personagens dos contos tradicionais têm nome próprio – eles aparecem retratados de modo genérico, como a irmã mais velha, o filho mais moço, a mãe, o pai, o rei, a princesa, o gigante, a bruxa... Como já apontado, os personagens representam aspectos universais "brincando" de modo particular dentro de cada ser humano.

O contador de histórias também pode transitar entre narrador e personagem. Pode assumir sua fala em primeira pessoa e expressividade corporal a partir da modulação de voz, do gesto, da mudança postural. Ou sutilmente trazer o personagem sem sair de seu papel de narrador, apenas com uma intenção clara impressa na narrativa. Ou ainda permanecer narrando em terceira pessoa e, ao mesmo tempo, esboçar o personagem com o corpo, a direção do olhar, *ilustrando* a ação narrada.

Por exemplo, com base na divisão do conto "O papagaio real" apresentada anteriormente, a cena 7, "Oposição real", pode ser contada das seguintes maneiras:

1. Em um crescendo, com o contador imprimindo inicialmente a reação nervosa do rei na narrativa:

> O rei ficou contente da vida ao ver seu filho curado, mas, quando ficou sabendo que aquela moça já era noiva do príncipe há muito tempo, desde a época em que seu filho ainda estava encantado na forma de um papagaio real e a visitava todas as noites, ele ficou furioso!

Até o seu ápice, quando o contador se torna o próprio rei, e então literalmente encarna essa figura, ele pode reagir através da voz, do olhar, da postura, do modo que o personagem anda e gesticula, ou do somatório de tudo isso:

> – Como? Meu filho, um príncipe de sangue real, vai se casar com essa mocinha que não é princesa nem nada? Isto nunca!

2. Apenas trazendo o estado de espírito do rei em sua narrativa. Nesse caso, é importante que toda a indignação, o inconformismo e a fúria do personagem estejam presentes no tom da cena contada:

> O rei ficou contente da vida ao ver seu filho curado, mas, quando ficou sabendo que aquela moça já era noiva do príncipe há muito tempo, desde a época em que seu filho ainda estava encantado na forma de um papagaio real e a visitava todas as noites, ele ficou furioso! Seu filho, um príncipe de sangue real, nunca iria se casar com aquela mocinha que não era princesa nem nada!

3. Em terceira pessoa e ao mesmo tempo incorporando a expressividade corporal do rei, construindo o personagem enquanto conta a cena. É possível também trazer o rei através de um elemento cênico, como já abordamos antes.

As crianças costumam transitar com maestria entre o papel de narradoras e personagens nas brincadeiras espontâneas de faz de conta. Podemos aprender muito apenas observando-as.

Bem à moda das crianças, o educador contador pode brincar com a audiência nesse trânsito, saindo por alguns instantes da caracterização de um personagem para tecer comentários sobre ele na posição de narrador, e logo depois retornar ao papel de personagem. Comentários como: "Eu preciso contar um segredo para vocês, essa mulher na verdade era uma feiticeira terrível, tão disfarçada que ninguém percebeu". Ou: "Nunca me contaram direito essa parte da história, mas eu desconfio que esse velho seja um grande sábio". Ou então: "Eu não acredito que isso estava acontecendo de novo, vamos ver o que o cavaleiro fez dessa vez?".

O olhar daquele que conta a história é um forte indicador de presença. É importante não perder isso de vista, seja quando nos colocamos no lugar do personagem, olhando a cena através dos seus olhos, seja quando narramos ilustrando a ação do personagem com os olhos. Por exemplo, se um rei está no alto de uma sacada dialogando com um andarilho na rua, é mais verossímil que o narrador-personagem olhe para baixo. Se uma formiguinha conversa com um menino, ela precisa olhar para o alto. Se uma mãe embala seu filho, ela pode olhar para o bebê em seus braços e brincar com o narizinho dele no espírito de faz de conta da história. Se um contador descreve um jovem procurando uma árvore mágica em meio a todas as outras, ele precisa realmente vasculhar com os olhos até encontrá-la e, dali em diante, sempre que se referir à árvore escolhida, o olhar do contador deve se voltar para a direção daquele encontro.

As crianças costumam nos corrigir quando, sem querer, nos esquecemos dessas referências construídas com o olhar, com comentários do tipo: "Você derrubou o bebê do seu colo!", "A árvore era daquele lado!", "Mas a formiguinha não estava ali no formigueiro? Você esmagou ela!", "Você jogou a bruxa no lugar errado, o calabouço era aqui!". Aprendendo com as crianças, a técnica torna-se uma consequência natural da presença. Se estivermos lá, visualizando nossas imagens internas, não iremos derrubar o bebê, tampouco pisar na formiguinha! Para que o narrador explore o olhar com intenções e direções claras na perspectiva do personagem em primeira pessoa, ou pincele sutilmente sua presença durante a narração, é preciso que ele esteja realmente enxergando a cena.

Retomando "O papagaio real", quando a moça enche o copo com água e o coloca na mesinha de cabeceira, o olhar do narrador pode acompanhar a movimentação da personagem, imaginando a mesinha (de madeira escura? Clara? Pintada?), o copo (de vidro? Uma taça de cristal? Transparente? Colorido?), a colherzinha (de ouro? De prata? Com o cabo trabalhado? Com incrustações de pedras preciosas?), a agulha que espeta o dedo, as gotas de sangue se dissolvendo na água, deixando-a levemente rosada... A composição interna dos detalhes da cena que envolve a personagem faz com que ela se torne verdadeira.

Quanto mais vívidos estiverem esses papéis dentro do educador contador, mais reais eles aparecerão no instante da história contada. Por isso, é fundamental que ele converse com os personagens, isto é, com as ressonâncias que eles provocam em seu mundo particular. A paisagem do conto tornando-se a sua "paisagem interna", no dizer de Regina Machado (2004, p. 68).

Em um primeiro momento, é interessante elencar os atributos explícitos de cada um dos personagens de um conto, ou seja, aqueles descritos no texto. No caso do conto escolhido, poderíamos dizer que a irmã mais velha era malvada, preguiçosa, invejosa; a irmã mais moça, linda, bondosa, doce; o príncipe papagaio, reluzente, majestoso, formoso; os bichos da floresta, misteriosos, estranhos, sábios; o rei, preocupado, indignado, furioso, embora tenha também se curvado à palavra assumida.

Em um segundo momento, através de visualizações criativas, mergulhando no mundo interno, é possível entrar em contato com os atributos subjetivos, as qualidades que resultam justamente da conversa interna e direta entre os personagens e aquele que vai contar a história. Se estivermos recolhidos, de olhos fechados e voltados para dentro, colocando a atenção nas cenas que se desenrolam "na tela atrás de nossos olhos", poderemos realmente dialogar e muitas vezes nos surpreender com os personagens do conto que agora nos habitam.

Caminhando em direção ao espaço em que, dentro de nós, se encontra a irmã mais moça, podemos nos perguntar: em que região de nosso corpo ela ressoa de modo mais forte? Ela se mostra claramente? Como nos recebe? Que presente poderíamos entregar a ela? Se ela nos contasse um segredo, qual seria ele?

Seguindo adiante, vamos aos poucos adentrando o espaço da irmã mais velha: como é este lugar? Há alguma cor predominante? Onde ele ressoa em nós? Conseguimos enxergar a irmã com clareza ou ela está escondida? Que presente oferecemos a ela? Qual é o seu segredo?

E o espaço habitado pelo nosso papagaio real: onde ressoa em nós? Conseguimos ver todos os seus detalhes? Ele se mostra como pássaro ou como príncipe? É possível enxergar suas duas formas? Quais as cores predominantes em seu brilho de realeza? Se oferecemos ao papagaio um presente, ele nos conta um segredo? Enveredamos pela floresta, sentimos a temperatura, os ruídos, seus perfumes. Ela é fechada? Há clareiras? De repente, um bicho misterioso nos salta aos olhos. Como é este bicho? O que sentimos diante dele? Como nos aproximamos? Ou talvez já sejamos o próprio bicho, nos imaginando em sua forma. Ele aceita algum presente? Ele cochicha um segredo. Entendemos a sua língua? Em que parte do nosso corpo ele ressoa?

Após longa caminhada, chegamos ao palácio do rei. Como é o palácio? Em que parte de nosso corpo localizamos esse espaço? Em que aposentos encontramos o rei? Como ele está vestido? É possível ver a cor de seus olhos? Há música no palácio? Aromas? Se entregarmos ao rei um presente, ele nos entrega um segredo?

Depois desse exercício de visualização criativa, nós nos despedimos de nossas paisagens e aspectos internos visitados e, devagar, nos preparamos para voltar, guardando todos os detalhes, as sensações e os segredos recebidos. São esses elementos, vistos, sentidos, ouvidos que nos servirão de subtexto ao contar a história e trazer os personagens com verdade, uma vez que *estivemos lá* mesmo.

Outro exercício bastante interessante para aproximação dos personagens é contar ou escrever o conto ou alguma parte dele em primeira pessoa, do ponto de vista de um deles. Como seria contar a cena em que a moça vê o papagaio cortado, sob a perspectiva da própria moça? Em que momento já nos sentimos assim em nossas vidas, presenciando algo terrível sem conseguir dizer nada, sendo acusados injustamente, recebendo olhares de mágoa e ressentimento e, diante de tal assombro, fomos incapazes de nos explicar? A história da história da irmã mais moça poderia ser a seguinte:

> Uma noite, eu estava sentada em minha cama, aguardando a visita do meu amor, a janela aberta, à espera. A bacia já com água no chão, como de costume. Os ventos me surpreendiam, e a cada vez pensava estar vendo o grande pássaro, mas logo percebia que eram apenas as cortinas, balançando...
> Até que finalmente, à meia-noite em ponto, ele chegou, majestoso, reluzente, coroado, e eu reconheci os olhos de sempre através da plumagem e do ouro das penas. Mas, de repente, aqueles olhos tão serenos e familiares se incrustaram de dor, suas garras se ouriçaram, feridas, e ele mergulhou em um banho frenético, desesperado na bacia, mas os cortes aumentavam, tingindo as águas de sangue. Meu papagaio não conseguia se transformar em príncipe e foi se arrastando até a janela com grande esforço, recuando de mim.
> Nunca vou esquecer aqueles olhos de susto e horror, ressentidos por minha suposta ingratidão, mas as palavras encolheram na boca, tamanho assombro eu sentia diante daquilo. Tudo escapava ao meu entendimento e se desenrolava rapidamente diante dos meus olhos atônitos até que em minha paralisia pude ver apenas o rastro de sangue na noite e o ruído rasgado das asas cortando os ventos com dificuldade. As palavras ecoando no escuro, Acelóis, Acelóis, Acelóis, e, por fim, as cortinas, apenas as cortinas...

Experimentando essa cena em primeira pessoa, poderemos realmente estar *lá* no lugar da personagem, e mais tarde, ao narrarmos tal parte da história, tudo aquilo que sentimos na presença de nossas memórias é o que dará corpo à narrativa, literalmente povoando de assombro a palavra "assombrada", que sem dúvida será pronunciada de maneira especial: "A moça ficou assombrada, sem compreender como uma coisa horrível daquelas podia estar acontecendo".

Por outro lado, como seria brincar com a primeira pessoa da irmã mais velha, nos perguntando em quais momentos de nossas vidas nos sentimos desconfiados, injustiçados, invejando situações alheias? A história da história contada pela irmã mais velha poderia ser assim:

> Há dias eu vinha escutando aqueles ruídos saindo do quarto dela, e a voz, uma voz encorpada de homem ao mesmo tempo encantador e gentil. Isso começou a invadir meus sonhos, a me acordar durante a noite em profundo desassossego. Eu ficava me revirando na cama, ouvindo o vento misturado a alguma coisa que parecia o barulho das asas de um pássaro muito grande. Por fim, as vozes e toda aquela aura de encanto que o quarto dela exalava. E aquele sorriso secreto em seu rosto, o andar leve todas as manhãs? Aquilo me irritava, aumentando a cortina de chumbo dos meus olhos de insônia e a falta de ar em meu peito.
> Até que uma noite saí da cama remexida e, sem calçar os chinelos para que não me ouvissem, caminhei pelo corredor até a porta do quarto dela. Lá estava a fechadura, túnel secreto, convidando, atraindo a minha visão, como um ímã. Eu sabia que aquele pequeno portal emoldurava algo terrivelmente grandioso do lado de lá. Eu me curvei e me senti a mais velha de todas, espiando o que temia desde o princípio...

Com certeza, conversando com o conto sob uma possível perspectiva da irmã mais velha, poderemos trazer densidade autêntica ao instante da narrativa em que ela espia, pelo buraco da fechadura, a cena de amor e encantamento que não enxerga em sua própria vida.

No final, quando a moça entra no quarto do príncipe doente, há a seguinte passagem: "Lá estava ele, coitado, tão pálido, descansando na cama... Mesmo assim, é certo que ainda continuava sendo o jovem mais formoso do mundo!". O trecho brotou de um exercício como esse, no qual a contadora, colocando-se no lugar da personagem, vendo o príncipe através dos olhos dela, reconheceu o *seu* belo e eterno jovem.

Esse tipo de diálogo pode ser feito com cada um dos personagens de um conto, e cada educador contador irá estabelecer o *seu* próprio encontro, a *sua* forma única de conversar com eles. Exercícios de aproximação dos personagens também podem ser realizados em grupo, no diálogo com outros educadores. Costuma ser bastante instigante a troca de cartas entre os educadores personagens. Um educador remetente no papel de papagaio escreve uma carta para outro educador destinatário no papel de um bicho esquisito, por exemplo, e vice-versa. Depois de embaralhadas as cartas, as respostas dão sequência à nova correspondência.

Dramatizações, improvisando a comunicação entre educadores personagens, também podem ser realizadas. Um educador no papel da irmã mais velha, por exemplo, pode improvisar uma conversa-debate sobre um tema qualquer com outro educador no papel de irmã mais moça. Os papéis podem mudar de repente, para que cada um exercite retomar o fio da conversa na perspectiva de seu novo personagem, e isso pode acontecer algumas vezes ao longo do processo. Aos poucos, outros educadores são convidados a entrar na discussão escolhendo endossar um dos dois papéis, e estão livres para mudar "de time", de modo que pode haver momentos em que uma irmã mais velha esteja conversando com cinco irmãs mais moças; ou três mais velhas com três mais moças; ou duas mais moças com quatro mais velhas etc. É interessante observar como o movimento coletivo reforça ou não o movimento individual, como cada educador pode se sentir instigado, provocado pelo outro, espelhado, identificado ou não...

Citamos aqui exemplos particulares de aproximação. Não se trata de receitas, tampouco de atividades para aplicar na educação infantil, mas de sugestões de exercícios no intuito de trazer a história mais viva na hora de contá-la às crianças.

Em alguns contos cantados brasileiros, os personagens são vividos pelo contador através de cantigas. Nesse caso, as cantigas são tão "casadas" com a história que, em si mesmas, desenham o personagem cantado, trazendo seus atributos por meio do ritmo, da melodia, da letra: os contos apresentam trechos musicados que fazem parte do texto.

Um exemplo é o conto popular baiano "A disputa do veado com o sapo" (COSTA, 1998), em que a conversa entre os personagens ocorre por meio de cantigas. O sapo aparece cantando:

> Caramondon-go, Caramondon-go
> Quapendanga-nêquemdanga
> Quê quê quê, quicombinato
> Réu réu réu, catimbóléu

E o veado responde:

> Matêjuê, matêjuê
> Trago de mim, vosmicê
> João Cascaião, sou eu!
> João Cascaião, sou eu!

A fala-cantiga do sapo apresenta com perfeição seu andar lento e misterioso, os saltos e solavancos do animal, sua densidade e gravidade. Já a fala-cantiga do veadinho imediatamente nos remete à leveza do animal, à sua ligeireza e alegria. O mesmo acontece na já citada história "A cabrinha e a onça" (COSTA, 1998), em que uma cantiga é cantada de formas diferentes na boca de cada personagem:

> Abram a porta, meus filhinhos
> Água na boca, lenha nos chifres
> Sal nas orelhas, peitinho tá cheio

A cantiga é doce quando quem canta é a mãe cabrinha batendo delicadamente com os chifres na porta para que os filhos a abram e ela lhes dê de mamar. É sombria e ameaçadora quando quem canta é a onça batendo a pata com força na porta e então os cabritinhos percebem que não se trata da mãe cabrinha e não a abrem. E também é dissimulada, uma mistura perversa da voz da onça com a voz da mãe cabrinha, quando a onça finge ser a cabrinha, imitando sua fala e assim enganando e comendo os cabritinhos.

Depois disso, a cabra desesperada vai pedir ajuda aos seus compadres e comadres para salvar os filhos que estão na barriga da onça. Ela fala com cada um dos amigos em seu próprio tom, ou seja, dirige-se ao compadre calango gravemente, à comadre lagartixa de forma mais aguda e à comadre formiguinha com voz agudíssima, bem fininha! O tamanho dos personagens é representado pelo tom da fala da mãe cabrinha.

Na conhecida história da "Dona Baratinha", a fala da personagem é a própria cantiga, seu canto na janela é ao mesmo tempo conversa com os transeuntes na busca de um noivo e a letra da cantiga é o texto da personagem.

— Quem quer casar com a Dona Baratinha que tem fita no cabelo e dinheiro na caixinha? Ela é formosa, e quem com ela se casar comerá de manhã cedo, no almoço e no jantar.

Conforme os pretendentes vão passando, ela continua sua fala, cantando:

— Sou, porém, muito medrosa e medo tudo me traz, diga logo, seu (nesse momento fala o nome do bicho pretendente), o som que o senhor faz.

Cada um dos bichos reproduz seu som no diálogo com a Baratinha. O boi faz *"muuuuuuuu!"*; o burro, *"brrrrrrrr!"*; o cabrito, *"beeeeeeee!"*; e assim por diante. A conversa prossegue, intercalando a voz de cada bicho e a seguinte fala-cantiga da Baratinha:

— Deus me livre de tal coisa fazendo dessa maneira, terei medo o dia inteiro, terei medo a noite inteira!

Até que, após vários pretendentes aterrorizantes aos seus ouvidos, ela se encanta com o rato, silencioso e delicado. A fala do rato é o som de barulhinhos de beijos...

Esses são apenas alguns exemplos de caracterização de personagens com base em um perfeito casamento entre cantigas e contos da cultura popular brasileira.

Interessante seria nos inspirarmos na riqueza da sabedoria popular ao utilizarmos músicas e cantigas para contar histórias. Seja para trazer o conto, esboçar climas ou estados de espírito e atributos dos personagens, a música deve compor criativamente com a história, não como um pano de fundo, mera sonoplastia da narrativa com efeitos literais, mas sim enquanto importante linguagem integrada, a serviço da história.

DIÁRIO DE BORDO

A alma das histórias

Um dia, contando uma história, apareceu a palavra "alma". Uma criança perguntou: "O que é alma?". Eu devolvi a pergunta: "O que vocês acham que é alma?". As respostas foram surgindo: "Alma é um espírito!", "Alma é um fantasma!". Até que Pedro Henrique, de cinco anos, respondeu: "Alma é aquela luzinha que tem dentro do coração!". Guardo esta pérola comigo.

A brincadeira de roda "A linda rosa juvenil", também uma pérola tradicional da infância, sintetiza com simplicidade os três temas abordados – estrutura, climas e personagens –, auxiliando-nos na sua compreensão.

> **A LINDA ROSA JUVENIL**[18]
> A linda rosa juvenil, juvenil, juvenil
> A linda rosa juvenil, juvenil
> Vivia alegre no seu lar, no seu lar, no seu lar
> Vivia alegre no seu lar, no seu lar
> Mas uma feiticeira má, muito má, muito má
> Mas uma feiticeira má, muito má
> Adormeceu a rosa assim, bem assim, bem assim
> Adormeceu a rosa assim, bem assim
> Não há de acordar jamais, nunca mais, nunca mais
> Não há de acordar jamais, nunca mais
> E o tempo passou a correr, a correr, a correr
> E o tempo passou a correr, a correr

---

[18] Comunicação oral em oficina "A voz do conto". Casa Redonda, 2001.

E o mato cresceu ao redor, ao redor, ao redor
E o mato cresceu ao redor, ao redor
Um dia veio um belo rei, belo rei, belo rei
Um dia veio um belo rei, belo rei
Que despertou a rosa assim, bem assim, bem assim
Que despertou a rosa assim, bem assim
E os dois puseram-se a dançar, a dançar, a dançar
E os dois puseram-se a dançar, a dançar
E batam palmas para o rei, para o rei, para o rei
E batam palmas para o rei, para o rei
La ia la ia la ia la ia, la la ia, la la ia
La ia la ia la ia la ia, la la ia

Na tradição oral, esta é uma história que virou brinquedo, uma história brincada. Na passagem do conto de fadas "A bela adormecida" para a brincadeira de roda, o que restou foi exatamente a estrutura fundamental, o esqueleto da história sem roupagens: a letra da roda brincada. Partindo dessa observação, diante de qualquer conto tradicional poderíamos nos exercitar imaginando como seria a brincadeira de roda daquela história.

A melodia de "A linda rosa juvenil" é sempre a mesma, mas os climas são diversos, e saboreá-los ao cantar faz parte da brincadeira. "Vivia alegre no seu lar" tem um clima absolutamente distinto de "Mas uma feiticeira má"; há alegria e liberdade na princesa dançando em seu lar, ao passo que o suspense marca a chegada da feiticeira. Também há climas diversos no momento em que "O mato cresceu ao redor" e quando "O tempo passou a correr"; o tempo corre veloz, já o mato crescendo nos remete à imagem da hera lentamente se entranhando nas ruínas do castelo. Da mesma forma, o momento em que a feiticeira adormece a rosa e a amaldiçoa – "Não há de acordar jamais" – tem nuances distintas do despertar da princesa pelo rei, no qual há uma delicadeza completamente oposta à vibração enérgica da fala da feiticeira.

A coreografia da brincadeira mostra claramente os personagens como nossos próprios aspectos projetados dentro e fora da roda. A princesa dança dentro da roda, ao passo que a feiticeira e o rei aguardam sua hora do lado de fora. O tempo é o conjunto de crianças cirandeiras rodando muito rápido, a mesma roda que depois vai se fechando, se transformando no mato que cresce, com as crianças avançando e se juntando vagarosamente ao redor da linda rosa desmaiada. O rei aparece no final, para acordar a princesa.

Na brincadeira, podemos realmente *estar lá* e nos aproximarmos pelos personagens que nos habitam: como dança a minha linda rosa? Como ela está vestida? Como anda a minha feiticeira? Como ela olha a linda rosa? Ela gesticula enquanto amaldiçoa? Qual o gesto e a postura do meu rei? Ele usa espada ou facão para romper o mato ao redor da princesa? Ou o mato se abre de forma mágica para que ele o atravesse? Ele vem a pé? A cavalo? Qual a cor de seu cavalo? Brincando a *nossa* feiticeira, o *nosso* rei e a *nossa* linda rosa, seremos capazes de integrá-los, de fazer a ciranda.

O final feliz nada mais é do que a integração com o mundo interno, os personagens cirandando na roda de dentro. O casamento pode ser compreendido como a reunião de nossas qualidades, sejam elas boas ou más, no cenário de nosso conto particular.

O poema "Eros e Psiquê", pérola da vasta obra de Fernando Pessoa, não deixa de ser uma versão da linda rosa:

EROS E PSIQUÊ

Conta a lenda que dormia
Uma Princesa encantada
A quem só despertaria
Um Infante, que viria
De além do muro da estrada.

Ele tinha que, tentado,
Vencer o mal e o bem,
Antes que, já libertado,
Deixasse o caminho errado
Por o que à Princesa vem.

A Princesa Adormecida,
Se espera, dormindo espera,
Sonha em morte a sua vida,
E orna-lhe a fronte esquecida,
Verde, uma grinalda de hera.

Longe o Infante, esforçado,
Sem saber que intuito tem,
Rompe o caminho fadado,
Ele dela é ignorado,
Ela para ele é ninguém.

Mas cada um cumpre o Destino
Ela dormindo encantada,
Ele buscando-a sem tino
Pelo processo divino
Que faz existir a estrada.

E, se bem que seja obscuro
Tudo pela estrada fora,
E falso, ele vem seguro,
E vencendo estrada e muro,
Chega onde em sono ela mora,

E, inda tonto do que houvera,
À cabeça, em maresia,
Ergue a mão, e encontra hera,
E vê que ele mesmo era
A Princesa que dormia.

INSTANTE DO CONTO MÍTICO

Psiquê era uma princesa tão bela que acabou despertando o ciúme de Afrodite. Vendo seus altares desertos enquanto os homens voltavam sua devoção à beleza da jovem mortal, a deusa, furiosa e ofendida, mandou seu filho alado Eros castigar a moça, infundindo em seu peito a seta da paixão pela mais horrenda das criaturas. Ao contrário do esperado, Eros foi até o quarto da jovem, mas perturbado diante da mais bela adormecida à sua frente, feriu-se acidentalmente com a própria flecha, apaixonando-se por Psiquê.

O tempo passava e nenhum pretendente desposava Psiquê, pois Eros, o deus do amor, encontrava-se tão absorto por sua paixão que se esquecia de lançar as flechas. As duas irmãs da moça, mais velhas e menos belas, há muito já haviam se casado, de modo que o rei seu pai, bastante preocupado, resolveu consultar o Oráculo. Qual não foi sua amargura ao saber que Psiquê estava destinada a se casar com um ser monstruoso a quem ela deveria se entregar no alto de um penhasco.

Assim, a donzela real foi conduzida em um cortejo que mais parecia um funeral ao tal penhasco, e ali abandonada à própria sorte. A pedidos de Eros, o gentil vento Zéfiro conduziu a moça a um bosque florido, onde ela adentrou em um magnífico castelo de sonhos. Lá não encontrou ninguém, mas foi guiada por servos invisíveis que satisfizeram todas as suas vontades. Ao anoitecer, e sem enxergar o marido, entregou-se a ele, experimentando toda sorte de delícias junto ao deus do amor em pessoa.

O tempo passou e, apesar dos intensos prazeres noturnos, ela sentiu saudades do pai e das irmãs; deveriam estar de luto imaginando que estivesse morta. Contando seu sofrimento ao marido, ele consentiu que Zéfiro trouxesse sua família para uma visita, mas diante de tantas riquezas e esplendores no castelo, as irmãs morderam os lábios de inveja. Fizeram inúmeras perguntas à Psiquê a respeito da real identidade de seu misterioso marido, incutindo o veneno da dúvida no coração da moça. E se ele realmente fosse um monstro, seria prudente degolá-lo.

Não resistindo às provocações das irmãs, Psiquê esperou que o marido adormecesse e, munida de uma faca e uma lâmpada, iluminou seu rosto. Qual não foi sua surpresa quando se deparou com o mais encantador de todos os deuses. Ela se aproximou para ver melhor o belo jovem e desastrosamente deixou pingar uma gota de óleo ardente em seu ombro. Eros acordou assustado, ferido e decepcionado diante da desconfiança da esposa; abandonou-a, voando pela janela.

No mesmo instante, o castelo desapareceu como um sonho de dentro do qual se acorda, e a princesa se viu sozinha, vagando em busca de seu amor. Aconselhada pela deusa Ceres, a moça rendeu-se voluntariamente à Afrodite, que mantinha o filho aos seus cuidados. Afrodite lhe impôs uma série de tarefas, esperando que Psiquê nunca se desincumbisse delas e assim desgastasse sua beleza.

A primeira tarefa foi separar, no celeiro do templo, todos os grãos que alimentavam os pombos sagrados, classificando cada um de acordo com sua qualidade. Havia trigo, aveia, milho, ervilha, feijão e lentilhas – e tudo deveria ser separado antes do anoitecer! Para isso, Psiquê contou com a ajuda das formigas.

No dia seguinte, a deusa ordenou que a moça lhe trouxesse a lã do velocino de ouro, mas os carneiros atacavam ferozmente com seus chifres quem da lã de ouro se aproximasse. No caminho, ela foi advertida pelo rio deus que somente teria sucesso se aguardasse a influência do sol poente, ele costumava serenar o espírito dos animais. Assim foi.

No terceiro dia, a deusa, já irritada, mandou a princesa descer ao reino dos mortos e pedir à Perséfone, esposa de Hades, o deus das profundezas, um pouco de sua beleza. A moça seguiu as instruções de uma sábia voz e dessa forma atravessou todas as dificuldades, conseguindo de Perséfone uma caixa cheia de belezas para levar à Afrodite. No entanto, no caminho de volta, sentindo-se desgastada depois dessas tarefas, não resistiu ao impulso curioso de abrir a caixa e, quando o fez, caiu em sono profundo.

Foi aí que Eros, já restabelecido de seu ferimento e não suportando mais viver sem sua amada, voou até a bela adormecida, despertando-a com um beijo. Ele devolveu o conteúdo à caixa e pediu que Psiquê finalizasse a tarefa, entregando-a à Afrodite, sua mãe.

Eros penetrou as alturas em direção a Zeus, que atendeu às suas súplicas, conquistando a concordância de Afrodite e tornando Psiquê imortal. Finalmente Eros e Psiquê uniram-se por toda a eternidade, e dessa união nasceu uma filha chamada Prazer. ∎

Em grego, Psiquê, do termo *psychein*, significa "o *sopro* que torna vivo um corpo", "o espírito que o anima", traduzido por Platão como "alma". Muitas vezes representada com asas de borboleta, ela é uma alegoria à transformação e à imortalidade. Eros é a personificação do amor, "o desejo dos sentidos". A história de Eros e Psiquê fala da eterna aventura entre o amor e a alma.

Encontramos reminiscências desse mito em diversos contos de fadas, retalhos temáticos que atravessaram os tempos: a bela rainha com inveja da beleza mais jovem; a donzela casada com o monstro; o noivo que não pode ser visto; as irmãs invejosas; a desconfiança que trai o amor; a tarefa de separar os grãos com auxílio de pequenos animais; a curiosidade que leva ao sono profundo.

Vale a pena observar que a narrativa "Cupido e Psiquê" faz parte do livro *O asno de ouro*, escrito no século II d.C. pelo romano de origem africana Apuleio. O conto mítico é uma espécie de ancestral dos contos de fadas "A bela adormecida", "Cinderela", "Branca de Neve", "A leste do Sol e a oeste da Lua" (clássico norueguês), "A Bela e a Fera" (escrito pela educadora francesa Madame de Beaumont, no século XVIII), "Angélica mais afortunada" ou "O príncipe Teiú" e a variante "Branca Flor", recolhidas por Marco Haurélio (HAURÉLIO, 2011 e 2012), entre tantas outras histórias contadas e recontadas.

Assim como os contadores da tradição, assim como as crianças, aprendamos a reunir nossos retalhos, brincando o poema, vivendo o mito de nossas vidas como viajantes, e assumindo a responsabilidade de transmitir esse saber integrador.

A palavra "responsabilidade" pode ser compreendida como a capacidade de emitir respostas. Respostas que no fundo já existem em alguma camada adormecida, escondida atrás das pedras do muro, encantada pelo mato que cresceu ao redor. Os contos e brincadeiras tradicionais nos ajudam a acessar estes véus de rendas profundas, recuperando, transformando, esvoaçando nossas almas.

"A linda rosa juvenil" é, acima de tudo, a história da alma adormecida ou "adorminhada", no dizer de uma criança. Alma que só despertará se contarmos a nossa própria história, criativamente. No fundo, estamos sempre esbarrando nela, eternamente procurando novas vias para nos contarmos e recontarmos de forma criadora, a cada dia, em busca daquela luzinha que temos dentro de nós.

PALAVRA (SILENCIOSA) DE CRIANÇA

Entre as crianças, a grande cena da brincadeira "A linda rosa juvenil" vinha sendo o desmaio da princesa, ou melhor, das várias princesas à espera de um beijo de amor. Mas muitas vezes os reis também desmaiavam, bem como o mato, o tempo e até mesmo a feiticeira!

Um dia, depois que todos já haviam despertado, Fernanda, de cinco anos, permaneceu absolutamente entregue ao seu desmaio, o que mobilizou meninos e meninas, empenhados em descobrir a forma de trazê-la de volta: cobrindo com panos, fazendo lindos desenhos e colocando-os em cima dela, cantando, beijando seu rosto, tocando sua face com pétalas de flores, mas nada funcionava! Apenas não permiti que fizessem cócegas nela, pois esse gesto, a meu ver, poderia retirá-la de forma abrupta do estado de entrega em que se encontrava.

Aos poucos comecei a conversar baixinho com ela: "Se você estiver me ouvindo, mexa o dedinho!", e ela mexeu o mindinho. Segui perguntando: "Se quiser ficar sozinha, mexa o dedinho!", e mais uma vez, mexeu. Pedi a todos que se afastassem e lá ficou ela "bela adormecidamente"...

Até que escutou um chamado para o lanche e o estômago falou mais alto! Abriu um olho por vez e vagarosamente se levantou. Comeu sem falar nada e os amigos respeitaram seu silêncio. Depois daquele dia observamos que Fernanda deu um grande salto de crescimento.

Isso me fez pensar como muitas vezes nós, educadores, acabamos nos tornando uma espécie de parteiros de almas, amparando a narrativa de vários despertares. ■

COM ÁGUA NA BOCA
Selecionando o repertório de contos

> *Saúdo todos aqueles que sabem que a Tradição verdadeira não pode jamais ser compreendida com repetição ou rotina; que nelas nós não cultuamos as cinzas dos antepassados, mas sim a chama imortal que os animava.*
>
> Ariano Suassuna

É fundamental que o contador de histórias goste muito da história que vai contar. O "calafrioquentinho" que ela desperta é o primeiro passo para a escolha de uma história. "Calafriosquentinhos" são como arrepios de reconhecimento, encontros com algo que não conhecemos, mas no fundo *conhecemos* e, portanto, estamos *re-conhecendo*.

Os contos, assim como candeeiros passados de mão em mão, cantados de boca em boca, brincados de corpo em corpo, seguem seu curso arrepiando e aquecendo as rodas com o poder da chama. É importante ouvir muitas histórias e ler outras tantas para compor um repertório. Quanto mais contos nós formos conhecendo, mais familiarizados com essas narrativas ficaremos. É muito bom ter sempre "histórias na manga" e intuitivamente "tirar algum coelho da cartola" para aquele instante.

É fundamental ampliar o repertório e não contar apenas as histórias que as crianças já conheçam ou já tenham referência visual construída a partir de filmes assistidos. E também tornar a seleção variada: contar histórias de belas princesas adormecidas à espera de príncipes encantados e de príncipes que aguardam em seu leito de morte a salvação de moças guerreiras; histórias com protagonistas masculinos e outras com protagonistas femininos; histórias de heróis e de anti-heróis; contos com personagens transformados em animais e outros com animais personagens; histórias de madrastas malvadas e de madrastas conselheiras; de bruxas terríveis e bruxas sábias; de fadas madrinhas e fadas malditas; de velhos maldosos e velhos bondosos; e assim por diante.

Há uma bibliografia de livro, uma bibliografia de boca e uma bibliografia de vida.

Pesquisadores, antropólogos, psicólogos, entre tantos pensadores, recolheram histórias tradicionais "da boca do povo" e fizeram seu registro, mantendo muitas vezes as marcas da oralidade, transcrevendo as histórias exatamente como foram contadas. Há também livros de autores que recontam histórias populares do seu jeito, apropriando-se dos contos e escrevendo a sua própria versão. Muitos desses "recontos" têm excelente qualidade literária.

Existe uma bibliografia de boca que pode ser pesquisada. Em várias regiões do Brasil ainda há homens e mulheres do povo que contam histórias, muitas vezes pessoas analfabetas que guardaram esses contos na memória do coração. É maravilhoso quando os educadores se dispõem a resgatar a memória viva de sua comunidade! Em vez de chegar logo pedindo uma história, o educador pode principiar a pesquisa contando algum conto do seu repertório, estabelecendo assim uma troca com os contadores populares.

Desde sua criação em 1996, os educadores da já citada OCA (Escola Cultural, localizada no patrimônio jesuítico da Aldeia de Carapicuíba) vêm recolhendo histórias, cantigas e brincadeiras da comunidade, respeitando seus saberes, valorizando a diversidade cultural do lugar, habitado predominantemente por migrantes. Dessa forma, o projeto favorece o reencontro com suas raízes através de um repertório gestual, plástico, musical e literário na formação de crianças, adolescentes e adultos: pais, mães, avós...

Durante uma formação na escola Toca do Futuro, instalada na Fazenda Toca, em Itirapina, São Paulo, os educadores começaram a pesquisar e registrar histórias e cantigas preciosas dos colonos que trabalhavam na fazenda, o que enriqueceu profundamente a prática de contar histórias, com forte sentido de pertencimento.

Além dessa recolha da bibliografia de boca, que pode ser feita em sua própria comunidade e em muitas outras, há uma bibliografia entranhada na vida do educador: o armazém de memória das histórias que fizeram parte do seu acervo familiar, as histórias que ouvia quando criança. É sempre bom e altamente significativo puxar por essa memória afetiva (quem me contava histórias na infância?) e também trazer, vez ou outra, episódios de sua vida. As crianças adoram ouvir os relatos que aconteceram "de verdade" na história do contador: "Conta uma da vida com você?".

Em formações, é bastante comum acompanhar o despertar de educadores para a vasculha de suas histórias de vida, revisitando avós, entrevistando tios, vizinhos, fazendo registros e transcrições de contos da infância, ao lado de outros nunca antes ouvidos, uma vez que dessa forma também acordam a memória dos parentes para aquelas histórias que eles nem mais lembravam. A partir desse material vivido e revivido em vínculos tão estreitos, torna-se instigante localizar variantes de contos, cantigas, brincadeiras, reconhecendo, nas versões espalhadas pelo mundo, temas de sua história pessoal.

Em 1910, o finlandês Antti Aarne criou um sistema de classificação dos contos tradicionais que conta hoje com atualizações feitas pelo americano Stith Thompson e pelo alemão Hans-Jörg Uther. O catálogo universal ATU, sigla que contém as iniciais dos três autores, favorece o estudo de contos brasileiros comparados às narrativas de qualquer parte do mundo. Diante das classificações possíveis para o gênero conto tradicional, gostaríamos aqui de pontuar aquelas que julgamos mais significativas para a educação infantil e que podem nortear a pesquisa dos educadores, sendo que algumas foram batizadas pelas próprias crianças:

- Os **contos de encantamento ou contos de fadas**, tratados no capítulo 2, "Na boca das fadas", na primeira parte do livro.

- Os **contos cantados**, assim batizados na cultura popular por apresentarem trechos musicados que fazem parte do texto, casando perfeitamente histórias e cantigas, conforme exemplificamos no capítulo 4, "Na boca da história", na terceira parte.

- Os **contos de engolir**, curiosa definição de uma criança para aquelas histórias que apresentam o tema mítico do herói engolido, contos relacionados à simbologia dos ritos de passagem, abordados no capítulo 4, "Com o coração na boca", na segunda parte.

- Os **contos de bichos-gentes**, expressão que saiu da boca de uma criança ao pedir histórias nas quais os personagens principais são animais dotados de atributos e sentimentos humanos (vide capítulo 3, "De boca em boca", na primeira parte).

- Os **contos acumulativos**, também conhecidos como contos de fórmula, lenga-lengas ou histórias sem fim, caracterizados pelo encadeamento contínuo de uma mesma sequência de falas ou períodos, ações ou gestos, em que a cada repetição se agrega mais um elemento, resultando em uma extensa enumeração, um conto que parece nunca ter fim. Alguns contam que esse tipo de história nasceu do intuito de fazer as crianças dormirem. Mas uma coisa é certa – antes de adormecerem, elas adoram acrescentar elementos a essas histórias, articulando e prolongando ainda mais a narrativa (vide capítulo 1, "Boca de criança", na segunda parte).

É fundamental ressaltar que não se trata de uma divisão fechada, pois um mesmo conto pode pertencer a mais de uma classificação. Um conto de bichos-gentes, por exemplo, pode ser ao mesmo tempo um conto acumulativo ou um conto de encantamento. Um conto de encantamento pode ser também um conto cantado; e um conto cantado pode se caracterizar como conto de bichos-gentes, e assim por diante. Uma definição não exclui outras classificações possíveis de um mesmo conto. A divisão do gênero apenas ajuda a deixar mais claras algumas características e temas que costumam fazer sentido para as crianças pequenas.

Uma ideia interessante é que os educadores contadores pesquisem os tipos de contos sugeridos e outras histórias que lhes despertem "calafriosquentinhos", observando o retorno de seus alunos e, a partir daí, componham seu leque de narrativas. Melhor não contarem aquelas que não lhes parecerem apropriadas ou que provoquem dúvidas, incômodos e receios dos mais diversos tipos, pois as crianças receberão esse desconforto impresso na fala dos educadores.

Busquem histórias tradicionais de vários cantos do mundo e procurem conhecer cada vez mais as histórias de nosso país, reflexos da alma brasileira. É muito importante que construam esse conhecimento, tomando consciência de quem somos, destacando a identidade brasileira – uma cultura com profunda diversidade e ao mesmo tempo com forte espírito de unidade, expresso em uma única língua que entrelaça todo o território nacional.

Em nosso chão, encontraram-se as matrizes de índios, negros e europeus. A tradição oral ibérica, que veio no bojo da língua e da cultura portuguesa, mesclou-se à contribuição dos negros e ao legado indígena, resultando em uma tradição própria, mestiça, diferenciada da europeia. "Mestiços cada vez mais verdadeiros, cada vez mais misturados, cada vez mais brasileiros" são cantados na música *Mestiçagem*, de Antonio Nóbrega e Wilson Freire (2000).

Em *Casa-grande & senzala*, Gilberto Freyre (2004) conta que as negras velhas e as negras amas de leite tiveram papel fundamental como contadoras de histórias, adaptando e reunindo as três tradições: portuguesa, africana e indígena. Segundo Lydia Hortélio (2008), nas cantigas tradicionais da infância também é possível perceber as marcas, a maneira peculiar das três principais etnias formadoras do povo brasileiro. Sílvio Romero (2007) classifica as histórias de acordo com essas três origens – europeia, indígena e africana –, buscando identificar elementos de cada uma das culturas, amalgamados em nossos contos.

O trabalho com a cultura brasileira na educação é de uma riqueza imensa e, como educadores, temos a responsabilidade de valorizá-la, revitalizando a essência de nossas raízes e assim reinventando a nossa prática educativa.

Desde meados do século XX vários autores brasileiros vêm buscando a valorização de nossa cultura. Não poderíamos deixar de citar aqui nomes como Mário de Andrade, um dos fundadores do Modernismo, autor que desempenhou importante papel como pesquisador de nosso Brasil encoberto, servindo de referência para estudos das manifestações culturais e da música brasileira. O grande educador Paulo Freire, que delineou uma pedagogia da libertação, deixando importante obra que aponta o caminho de se tornar possível o que aparentemente parece impossível, compreendendo a ação de transformar o mundo como destino do homem e destacando a importância de considerarmos a nossa brasilidade no processo de ensino e aprendizagem. O antropólogo Darcy Ribeiro, que falava da invenção de um Brasil melhor, foi colaborador na criação do Parque Nacional do Xingu junto aos irmãos Villas-Bôas, entre tantos outros legados. Milton Santos, considerado por muitos o maior pensador da geografia do Brasil, que surpreendeu com sua originalidade e agudos questionamentos ao globalitarismo (totalitarismo que as nações hegemônicas impõem sobre as camadas populares, seja no âmbito econômico ou social) na relação humana com o território brasileiro. E, por fim, o escritor pernambucano Ariano Suassuna, que propôs na década de 1970 o Movimento Armorial, expressão de nossa cultura em suas raízes populares, como forma de resistência à massificação.

Entre os folcloristas brasileiros que registraram coletâneas de contos da tradição oral, resultantes de pesquisas de recolha, destacamos especialmente Sílvio Romero (2007), Lindolfo Gomes (1965), Aluísio de Almeida (1951), Altimar de Alencar Pimentel (1995) e Luís da Câmara Cascudo (2001). E ainda as escritoras e pesquisadoras das tradições populares Ruth Guimarães (1972) e Henriqueta Lisboa (2002).

Enriquecedor seria se os educadores bebessem e se alimentassem dessas reflexões, e, acima de tudo, se investigassem sua própria relação com essa cultura valiosa e única. O diretor e cineasta brasileiro Luiz Fernando Carvalho (2015a) pontuou de forma clara e inspiradora a necessidade de reaproximação da cultura brasileira, contando a alegria que sentiu ao se deparar, já adulto, com os contos populares recolhidos da oralidade por Câmara Cascudo e Sílvio Romero:

> Acredito em um patrimônio genético do Brasil. Suas histórias, suas raças, suas línguas, seus sons; tudo ainda vive, tudo me dá a sensação de que, como um arquétipo, está à espera de reencarnar para continuar suas missões éticas e estéticas. A ancestralidade transpassa fronteiras. É o que há de mais moderno e ao mesmo tempo mais arcaico. É uma memória lúdica que nos habita, pois sobrevive das nossas primeiras lembranças.

Uma ancestralidade que nos permite imaginar mais do que copiar, sentir mais do que explicar e que, "inexplicavelmente, como ela só, uniu João Cabral a Sevilha [...] Ariano Suassuna a Cervantes" (CARVALHO, 2007). Buscando "devolver ao Brasil o fruto que o próprio povo semeou" (CARVALHO, 2005b), talvez sejam os contos populares as potenciais sementes desse trabalho.

Pesquisas arqueológicas já comprovaram, por meio de análise do carbono-14 (C^{14}), que o homem do Piauí realizou pinturas em paredões de pedras há mais de 30 mil anos! Que possamos seguir no garimpo de uma alma brasileira, afirmando em nós mesmos um Brasil ancestral, precioso e genuíno.

Quais são os *nossos* saberes *de cor*? No Tibete, tecidos impressos com mensagens e mantras sagrados são pendurados em cordões, fixados em mastros ou bambus, costume que remonta ao século XI. Tradicionalmente, essas bandeiras de oração tibetanas erguidas ao ar livre levam palavras de sabedoria recitadas pelo vento a longas distâncias... Quais são as *nossas* palavras de sabedoria? Palavras que nos tornam única bandeira, expressando ao mesmo tempo fala tão coletiva?

Como muito bem disse o maestro e compositor brasileiro Heitor Villa-Lobos, em 1951:

> o coração é o metrônomo da vida. [...] Foi fadado por Deus, justamente no Brasil, possuir numa forma geométrica de coração e haver um ritmo palpitante em toda a sua raça, sobretudo no Nordeste, pressentido de ritmo, de coração, essa unidade de movimento, esse metrônomo tão sensível.

Que o aprendizado de quem somos ressoe em pulsante sintonia com a alma de outras culturas, para que se multiplique, escorrendo da boca em forma de histórias. No dizer de uma criança: "Eu engoli meu coração e agora vou cuspir, olha, meu cuspe é mágico! Eu engulo e cuspo, engulo e cuspo, engulo e cuspo, assim, tum-tum, tum-tum, tum-tum...".
Que as histórias de boca sejam realmente expressões de um coração intimamente universal, morada da parte que sabe em nós, altar de um reino longínquo e próximo, lá onde habita a verdadeira Mãe da casa.

Epílogo

A verdadeira Mãe da casa[19]

Certa vez um viajante vinha caminhando por uma estrada solitária que arrodeava o mar mil vezes. Ele procurava um abrigo. A lua já ia alta no céu e as estrelas o espreitavam, como minúsculos olhos da noite. De repente, no instante de um piscar de olhos de estrela, surgiu sobre o rochedo um castelo todo iluminado. Ele se aproximou e percebeu que havia ali uma escada esculpida na rocha, ladrilhada de conchas e pérolas marinhas. O viajante subiu.

Quem quiser me ver arrodeia o mar uma vez... A escada deixou o viajante na varanda do castelo onde havia uma velha sentada em uma cadeira de balanço, costurando uma colcha colorida de retalhos. Ele perguntou a ela:

— Boa noite, Mãe. Por acaso a senhora teria abrigo em sua casa para um viajante?

A velha descansou agulha e linha no colo e respondeu com voz firme:

— Eu não sou a Mãe da casa. É melhor perguntar à minha mãe. Você vai encontrá-la junto ao fogo da cozinha.

O viajante agradeceu, abriu os portões do castelo e entrou. *Quem quiser me ver arrodeia o mar duas vezes...* Na

---

[19] Recriação de Cristiane Velasco para "The true father of the house", publicado por Dan Yashinsky (1993), que por sua vez é uma versão do conto tradicional norueguês "O sétimo dono da casa".

cozinha ele viu uma velha bem mais velha que a primeira, acocorada no chão, abanando as brasas de um fogão a lenha. Sua saia coberta de borralho era tão longa que se confundia com o próprio chão. O viajante perguntou:

— Boa noite, Mãe. Por acaso a senhora teria abrigo em sua casa para um viajante?

A velha olhou através das faíscas e respondeu:

— Eu não sou a Mãe da casa. É melhor perguntar à minha mãe. Ela está lendo um livro na biblioteca.

O viajante agradeceu e seguiu. *Quem quiser me ver arrodeia o mar três vezes...* Havia ali uma velha bem velha sentada diante de uma mesa bem comprida, lendo um livro bem maior do que ela mesma. A velha molhava a ponta dos dedos na língua e ia virando as páginas com grande esforço, cada página que caía levantava uma nuvem de poeira.

— Boa noite, Mãe. Por acaso a senhora teria abrigo em sua casa para um viajante? — perguntou ele.

A velha ergueu os olhos do volume antigo e respondeu:

— Eu não sou a Mãe da casa. É melhor perguntar à minha mãe. Ela está na sala, fumando seu cachimbo.

O viajante agradeceu foi até a sala. *Quem quiser me ver arrodeia o mar quatro vezes...* Sobre um banquinho ele viu um novelo de cobertores e de dentro das cobertas saiam duas mãozinhas magras e finas como patas de aranha. Uma segurava um cachimbo e a outra um fósforo aceso, mas elas tremiam tanto que não havia meios de acertar as duas. O viajante ajudou a velhinha a acender seu cachimbo e perguntou:

— Boa noite, Mãe. Por acaso a senhora teria abrigo em sua casa para um viajante?

Com uma voz tão fina quanto a fumaça azulada que espiralava do cachimbo, ela respondeu:

— Eu não sou a Mãe da casa. É melhor perguntar à minha mamãe. Ela está tomando banho de flores e ervas.

O viajante agradeceu e seguiu andando até o banheiro. *Quem quiser me ver arrodeia o mar cinco vezes...* Os dois olhos da velha na banheira brilhavam como estrelas gêmeas. O resto do corpo imerso parecia ser constituído da própria matéria das flores e ervas. Então, ele perguntou:

— Boa noite, Mãe. Por acaso a senhora teria abrigo em sua casa para um viajante?

Os olhos piscaram uma, duas, três, quatro, cinco vezes, e ela então respondeu:

— Eu não sou a Mãe da casa. É melhor perguntar à minha mamãe. Ela está sonhando em seu bercinho.

O viajante agradeceu e saiu em direção ao quarto. *Quem quiser me ver arrodeia o mar seis vezes...* O bercinho era um cesto coberto por um mosquiteiro. Ele espiou lá dentro e viu uma velha tão encolhida, tão delicada que mais parecia um bebê recém-nascido. Estava nua e os cabelos de um algodão prateado envolviam seu corpo em uma espécie de casulo. Na verdade, todo o trançado do cesto era feito de cabelo. E o mosquiteiro também era feito de cabelo!

— Boa noite, Mãe. Por acaso a senhora teria abrigo em sua casa para um viajante? — perguntou.

Muito tempo se passou até que viesse a resposta, e quando veio partiu de dentro do sonho. A voz da velhinha era tão vagarosa, parecia uma folha seca de outono. Ela sussurrava de olhos fechados, como a rosa despetalando ao vento do deserto:

– Eu não sou a Mãe da casa. É melhor perguntar à minha mãe. Ela está dentro da concha no nicho da parede.

O viajante agradeceu e buscou ao redor. *Quem quiser me ver arrodeia o mar sete vezes...* Havia mesmo um nicho na parede! Ele subiu na ponta dos pés e achou a concha, e dentro da concha ele encontrou uma velha minúscula como uma pérola. Perguntou baixinho:

– Boa noite, Mãe. Por acaso a senhora teria abrigo em sua casa para um viajante?

A boquinha no rosto da pérola foi se movendo num canto doce:

– Sim, minha criança! Sim, minha criança!

No instante de um piscar de olhos surgiu ali uma tina com banho morno perfumado, e o viajante banhou-se longamente. Então apareceu uma mesa com as mais divinas iguarias, e ele comeu até se fartar. Por fim, uma cama com lençóis tão macios que deslizavam. Sobre a cama, a colcha de retalhos que a primeira velha havia costurado. O viajante se aninhou para dormir e um pouco antes de fechar os olhos pensou: "Ah... Como é bom encontrar a verdadeira Mãe da casa!".

E eu preciso contar um segredo para vocês: ele nunca mais abandonou o seu castelo.

Referências bibliográficas

ADELSIN. *Barangandão arco-íris: 36 brinquedos inventados por meninos e meninas*. São Paulo: Peirópolis, 2008.

ALCOFORADO, Doralice Fernandes Xavier; ALBÁN, Maria Del Rosário Suárez (coord.). *Contos populares brasileiros: Bahia*. Recife: Massangana, 2001.

ALMEIDA, Aluísio de. 142 histórias brasileiras colhidas em São Paulo. *Revista do Arquivo Municipal*, São Paulo, v. 18, n. 144, p. 161-332, 1951.

ALMEIDA, Rosane. *Apostila danças brasileiras*. São Paulo: Instituto Brincante [s.d.]. Disponível em: <http://pt.slideshare.net/institutobrincante/apostila-dancas-brasileiras>. Acesso em: 15 jan. 2016.

ANDERSEN, Hans Christian. *Histórias maravilhosas de Andersen*. São Paulo: Companhia das Letrinhas, 1995.

APULEIO. *O asno de ouro*. Rio de Janeiro: Cultrix, 1969.

AT, Antti Aarne; THOMPSON, Stith. *The Types of the Folktale. A classification and bibliography*. 2. ed. revista. Helsinki: Academia Scientiarum Fennica, 1961.

ATU, Hans-Jörg Uther. *The types of international folktales. A classification and bibliography*. 3 vols. Helsinki: Academia Scientiarum Fennica, 2004.

AUBERT, Francis Henrik. *Askeladden & outras aventuras*. São Paulo: Edusp, 1992.

AZEVEDO, Ricardo. *Armazém do folclore*. São Paulo: Ática, 2000.

BARBIER, René. *A pesquisa-ação*. Brasília: Plano Editora, 2002.

BARROS, Manoel de. *Memórias inventadas: a infância*. São Paulo: Planeta, 2003.

BASILE, Giambattista. *Pentamerón, el cuento de los cuentos*. Madri: Ediciones Siruela, 2006.

BENJAMIN, Walter. *Magia e técnica, arte e política: ensaios sobre literatura e história da cultura*. São Paulo: Brasiliense, 1994.

BETTELHEIM, Bruno. *A psicanálise dos contos de fadas*. São Paulo: Paz e Terra, 2002.

BODENMÜLLER, Celina; PRANDO, Fabiana. *A flor de Lirolay e outros contos da América Latina*. São Paulo: Panda Books, 2015.

BRANDÃO, Junito de Souza. *Mitologia grega*. Vol. II. Rio de Janeiro: Vozes, 1987.

BULFINCH, Thomas. *O livro de ouro da mitologia (a Idade da Fábula): histórias de deuses e heróis*. Rio de Janeiro: Ediouro, 1965.

CALVINO, Italo. *Fábulas italianas*. São Paulo: Companhia das Letras, 2001.

CASCUDO, Luís da Câmara. *Tradição, ciência do povo. Pesquisas na cultura popular do Brasil*. São Paulo: Perspectiva, 1971.

_____. *Contos tradicionais do Brasil*. São Paulo: Global, 2001.

_____. *História dos nossos gestos*. São Paulo: Melhoramentos, 1976.

_____. *Literatura oral no Brasil*. São Paulo: Global, 2006.

_____. *Dicionário do folclore brasileiro*. São Paulo: Global, 2012.

CAMPBELL, Joseph. *O poder do mito*. São Paulo: Palas Athena, 1990.

_____. *A jornada do herói*. São Paulo: Ágora, 2003.

_____. *O herói de mil faces*. São Paulo: Cultrix, 2007.

CARVALHO, Luiz Fernando. A história e as personagens da microssérie "Hoje é dia de Maria". *Época*, São Paulo, 6 jan. 2005a. Disponível em: <http://revistaepoca.globo.com/Revista/Epoca/0,,EMI48256-15223,00-A+HISTORIA+E+OS+PERSONA GENS+DA+MICROSSERIE+IHOJE+E+DIA+DE+MARIAI.html>. Acesso em: 15 jan. 2016.

_____. Maria perde as cores e ganha a palavra: entrevista [18 dez. 2005b]. São Paulo: *Folha de S.Paulo*. Ilustrada. Entrevista concedida a Sylvia Colombo. Disponível em: <http://www1.folha.uol.com.br/fsp/ilustrad/fq1812200512.htm>. Acesso em: 15 jan. 2016.

_____. Devoto do tempo: entrevista [13 jun. 2007]. Fortaleza: *Diário do Nordeste*. Zoeira. Disponível em: <http://diariodonordeste.verdesmares.com.br/cadernos/zoeira/devoto-do-tempo-1.740051>. Acesso em: 29 ago. 2016.

COELHO, Nelly Novaes. *O conto de fadas: símbolos, mitos, arquétipos*. São Paulo: Paulinas, 2008.

COSTA, Edil Silva. *Cinderela nos entrelaces da tradição*. Salvador: Secretaria da Cultura e Turismo do Estado da Bahia/Fundação Cultural do Estado da Bahia/Empresa Gráfica da Bahia, 1998.

COUTO, Mia. Ameaças globais – desafios para a segurança humana [conferência]. In: Conferências do Estoril, 2., 2011, Cascais. *Transcrições...* Cascais: 2011. Disponível em: <https://docs.google.com/document/d/1aXX8ZEekztqzOTIhY5sEiIBbg2Y F5NRbvCYt3-cCTk8/edit?pli=1>. Acesso em: 15 jan. 2016.

ELIADE, Mircea. *Mito e realidade*. São Paulo: Perspectiva, 2002.

ESTÉS, Clarissa Pinkola. *O dom da história: uma fábula sobre o que é suficiente*. Rio de Janeiro: Rocco, 1998.

_____. *Mulheres que correm com os lobos: mitos e histórias do arquétipo da mulher selvagem*. Rio de Janeiro: Rocco, 1994.

FRANZ, Marie-Louise van. *A interpretação dos contos de fada*. São Paulo: Paulus, 2008.

FREYRE, Gilberto. *Casa-grande & senzala*. São Paulo: Global, 2004.

GIRARDELLO, Gilka. Voz, presença e imaginação: a narração de histórias e as crianças pequenas. In: FRITZEN, Celso e CABRAL, Gladir da Silva (Orgs.). *Imaginação e educação em debate*. Campinas: Papirus, 2007.

GOMES, Lindolfo. *Contos populares brasileiros*. São Paulo: Melhoramentos, 1965.

GRENIER, Christian. *Contos e lendas: os 12 trabalhos de Hércules*. São Paulo: Companhia das Letras, 2003.

GRIMM, Jacob; GRIMM, Wilhelm. *Os contos de Grimm*. Tradução do alemão de Tatiana Belinky. São Paulo: Paulus, 1989.

GUIGUI e ADELSIN. *Histórias da menina da Rua da Ponte*. Carapicuíba: Zerinho ou Um, 2016.

GUIMARÃES, Ruth. *Lendas e fábulas do Brasil*. São Paulo: Cultrix, 1972.

HAURÉLIO, Marco. *Contos folclóricos brasileiros*. São Paulo: Paulus, 2010.

_____. *Contos e fábulas do Brasil*. São Paulo: Nova Alexandria, 2011.

_____. *O príncipe Teiú e outros contos brasileiros*. São Paulo: Aquariana, 2012.

HORTÉLIO, Lydia. É preciso brincar para afirmar a vida: entrevista [out. 2008]. *Memórias do Futuro*. Disponível em: <http://www.

memoriasdofuturo.com.br/noticiaaberta/-preciso-brincar-para-afirmar-a-vida---lydia-hortelio>. Acesso em: 15 jan. 2016.

_____; REYES, Yolanda. Nos caminhos da leitura. In: PRADES, Dolores. *Crianças e jovens no século XXI: leitores e leituras*. São Paulo: Livros da Matriz, 2013.

JECUPÉ, Kaká Werá. *A criação do mundo segundo os guaranis – A voz do trovão*. São Paulo: Antroposófica, 2013.

_____. *A terra dos mil povos: história indígena do Brasil contada por um índio*. São Paulo: Peirópolis, 1998.

JUNG, Carl Gustav. *A natureza da psique*. Petrópolis: Vozes, 2000.

_____. *O homem e seus símbolos*. Rio de Janeiro: Nova Fronteira, 1977.

LARROSA, Jorge. *Pedagogia profana: danças, piruetas e mascaradas*. São Paulo: Autêntica, 2007.

LIMA, Francisco Assis de Sousa. *Conto popular e comunidade narrativa*. São Paulo: Terceira Margem, 2005.

_____. O conto popular no Cariri cearense. *Rascunho*, n. 160, ago. 2013. Disponível em: <http://rascunho.com.br/o-conto-popular-no-cariri-cearense/>. Acesso em: 29 ago. 2016.

LIMA, Rossini Tavares de. *Folclore das festas cíclicas*. Rio de Janeiro: Irmãos Vitale, 1971.

LIMA, Sônia Maria van Dijck (org.). *Ascendino Leite entrevista Guimarães Rosa*. João Pessoa: Editora Universitária da Universidade Federal da Paraíba, 1997.

LISBOA, Henriqueta. *Literatura oral para infância e a juventude: lendas, contos e fábulas populares no Brasil*. São Paulo: Peirópolis, 2002.

LISPECTOR, Clarice. *A descoberta do mundo*. Rio de Janeiro: Rocco, 1999.

LOBATO, Monteiro. *Reinações de Narizinho*. São Paulo: Brasiliense, 1973.

MACHADO, Ana Maria. *Histórias à brasileira: a moura torta e outras. Vol. I*. São Paulo: Companhia das Letrinhas, 2002.

_____. *Histórias à brasileira: Pedro Malasartes e outras. Vol. II*. São Paulo: Companhia das Letrinhas, 2004.

_____. *Histórias à brasileira: o pavão misterioso e outras. Vol. III*. São Paulo: Companhia das Letrinhas, 2008.

_____. *Histórias à brasileira: a donzela guerreira e outras*. Vol. IV. São Paulo: Companhia das Letrinhas, 2010.

MACHADO, Regina. *Acordais: fundamentos teórico-poéticos da arte de contar histórias*. São Paulo: Difusão Cultural, 2004.

_____. *O violino cigano e outros contos de mulheres sábias*. São Paulo: Companhia das Letras, 2004.

MALLARMÉ, Stéphane. *Contos indianos*. São Paulo: Experimento, 1994.

MUNDURUKU, Daniel. *Sobre piolhos e outros afagos*. São Paulo: Callis, 2005.

PAVIS, Patrice. *Dicionário de teatro*. São Paulo: Perspectiva, 2001.

PEARCE, Joseph Chilton. *A criança mágica*. São Paulo: Francisco Alves, 1989.

_____. *O fim da evolução*. São Paulo: Cultrix, 1992.

PERAZZO, Sergio. *Fragmentos de um olhar psicodramático*. São Paulo: Ágora, 1999.

PEREIRA, Maria Amélia Pinho. *Casa Redonda: uma experiência em educação*. São Paulo: Livre, 2013.

PESSOA, Fernando. *Eros e Psiquê*. Disponível em: <http://www.dominiopublico.gov.br/download/texto/pe000006.pdf>. Acesso em: 15 jan. 2016.

_____. *Obra poética*, vol. único. Rio de janeiro: Nova Aguilar, 1992.

PIMENTEL, Altimar. *Estórias de Luzia Tereza*. Brasília: Thesaurus, 1995.

PIORSKI, Gandhy. *Brinquedos do chão: a natureza, o imaginário e o brincar*. São Paulo: Peirópolis, 2016.

PRANDI, Reginaldo. *Mitologia dos orixás*. São Paulo: Companhia das Letras, 2001.

PRIETO, Heloisa. *Quer ouvir uma história? Lendas e mitos no mundo da criança*. São Paulo: Angra, 1999.

PROPP, Vladimir. *As raízes históricas do conto maravilhoso*. São Paulo: Martins Fontes, 2002.

RILKE, Rainer Maria. *Cartas a um jovem poeta*. São Paulo: Globo, 2001.

ROCHA, Vivian Munhoz. *Aprender pela arte a arte de narrar: educação estética e artística na formação de contadores de histórias*. Tese (doutorado em artes). Escola de Comunicações e Artes, Universidade de São Paulo. Orientadora: Prof. Dra. Regina Machado. São Paulo, 2010.

ROMERO, Sílvio. *Contos populares do Brasil*. São Paulo: Martins Fontes, 2007.

ROSA, João, Guimarães. *Grande sertão: veredas*. Rio de Janeiro: Nova Fronteira, 1986.

SHAH, Idries. *World tales*. Harmondsworth: Allen Lane/Kestrel; Penguin, 1979.

SILVA, Agostinho da. *Textos pedagógicos*, vol. I. Lisboa: Âncora, 2001.

SILVA, Lucilene. *Eu vi as três meninas: música tradicional da infância na aldeia de Carapicuíba*. Carapicuíba: Zerinho ou Um, 2014.

SLADE, Peter. *O jogo dramático infantil*. São Paulo: Summus, 1978.

SUASSUNA, Ariano Villar. Discurso de posse na ABL. In: MEDEIROS, Manuel Batista de. *Coletânea de discursos de posse e saudação com notas bibliográficas de paraibanos na Academia Brasileira de Letras*. João Pessoa: Centro Universitário de João Pessoa (Unipê), 1999.

_____. *Iniciação à estética*. Rio de Janeiro: José Olympio, 2007.

TAHAN, Malba. *A arte de ler e contar histórias*. Rio de Janeiro: Conquista, 1966.

TARTARUGA, Geraldo. *Assim me contaram... assim vos contei: contos tradicionais*. São Luiz do Paraitinga: Candombe, 2014.

TATIT, Ana; MARISTELA, Loureiro. *Festas e danças brasileiras*. São Paulo: Melhoramentos, 2016.

TAVARES, Braulio. *Contando histórias em versos*. São Paulo: Editora 34, 2005.

TOLKIEN, John Ronald Reuel. *Árvore e folha*. São Paulo: Martins Fontes, 2013.

VELASCO, Cristiane. Projeto "Dançando Histórias". In: Espetáculo *Avoou: contos brasileiros*, 2003.

_____. Espetáculo *Dançando histórias: contos flamencos*, 2013.

_____. *Maria Sabida e João do Uia*. São Paulo: Panda Books, 2016.

VILLA-LOBOS, Heitor. *Discurso proferido em João Pessoa, 1951*. Disponível em: <http://www.centroculturaledimilano.it/wp-content/uploads/2013/06/Villa-Lobos-Testo-originale-1.pdf>. Acesso em: 15 jan. 2016.

YASHINSKY, Dan. Isto me lembra uma história. Tradução de Regina Machado (2004) de artigo publicado no jornal *The Globe and Mail*, Toronto, 13 jul. 1985.

_____. *The storyteller at fault*. Charlottetown: Ragweed Press, 1993.

Discografia

Abra a roda tin dô lê lê. Pesquisa e direção de Lydia Hortélio. Arranjos de Edmilson Capelupi, Zezinho Pitoco, Gabriel Almeida e Zabumbau. São Paulo: Instituto Brincante, 2002.

Ô, bela Alice... Pesquisa e direção de Lydia Hortélio. Arranjos de Antônio Madureira. São Paulo: Casa das Cinco Pedrinhas, 2004.

Arlequim. Letra de Ronaldo Correia de Brito e Francisco Assis Lima. Música de Antônio Madureira. Recife: Ancestral, 1990.

Baile do Menino Deus. Letra de Ronaldo Correia de Brito e Francisco Assis Lima. Música de Antônio Madureira. São Paulo: Eldorado, 1983.

Bandeira de São João. Letra de Ronaldo Correia de Brito e Francisco Assis Lima. Música de Antônio Madureira. São Paulo: Eldorado, 1987.

Brincadeiras de roda, estórias e canções de ninar. Elba Ramalho, Solange Maria, Antônio Carlos Nóbrega e coro infantil. Direção e Produção de Antônio Madureira. São Paulo: Eldorado, 1983.

Brincando de roda. Solange Maria e coral infantil. Direção e produção de Antônio Madureira. São Paulo: Eldorado, 1984.

Cantos de trabalho. Cia Cabelo de Maria. Direção artística de Renata Mattar. Arranjos de Gustavo Finkler. São Paulo: SESC, 2007.

Contos, cantos e acalantos. José Mauro Brant. São Paulo: Gravadora Biscoito Fino, Selo Biscoitinho, 2002.

Mestiçagem. Letra de Antonio Nóbrega e Wilson Freire. Álbum "O marco do meio-dia". São Paulo: Trama Produções Artísticas, 2000.

Audiovisual

As aventuras de Azur e Azmar. Direção de Michel Ocelot. França, 2005.

Brincante. Direção de Walter Carvalho. Brasil, 2014.

Danças populares brasileiras. Direção de Belisário Franca. Brasil, 2015.

Diálogos do Brincar #2: "Criança e natureza", com Gandhy Piorski. Território do Brincar, 2016. Disponível em: <https://www.youtube.com/watch?v=L4u8pnqMkQQ>. Acesso em: 4 abr. 2016.

Hoje é dia de Maria. Direção de Luiz Fernando Carvalho. Brasil, 2006.

Kiriku e a feiticeira. Direção de Michel Ocelot. França/Bélgica, 1998.

Kiriku – os animais selvagens. Direção de Michel Ocelot. França, 2005.

Mitã. Direção de Lia Mattos e Alexandre Basso. Brasil, 2013.

Príncipes e princesas. Direção de Michel Ocelot. França, 1999.

Tarja branca: a revolução que faltava. Direção de Cacau Rhoden. Brasil, 2014.

Território do Brincar. Direção de David Reeks e Renata Meirelles. Brasil, 2015.